뜬 세상에 살기에

차 례

경직한 이들의 날

잠 타령

會社員과 埋沒鑛夫

원작을 가위질하는 듯

한이불 밑의 행복과 불행

남자나 여자나 얼핏 보면 눈과 코와 입이 모두 똑같은 사람이고, 서로 다른대야 남자는 고추가 달려 있고 여자는 애를 낳을 수 있다는 점만 다를 뿐인데, 바로 그 다른 점이 이만저만 중요한 게 아닌 모양이다. 하기야 끝없이 넓은 우주도 따지고 보면 음(陰)과 양(陽)이라는 세 가지 성질의 물질로 이루어져 있다고 하니 양인 남자와 음인 여자는 서로 다른 오히려 한 가지만 다르고 눈과 코와 입 같은 데가 서로 닮았다는 사실을 더 이상하게 생각해야 할지도 모른다.

나는 사춘기의 한때에 여자가 아득히 우러러보이고, 나도 과연 「나의 여자」를 가질 수 있을지 자못 절망적인 느낌이 든 적이 있었다. 그때에 「왜 세상엔 남자와 여자라는 두 가지 성(性)밖에 없을까? 대여섯 가지의 성이 있어서 이것하고 잘 안되면 저걸 골라잡을 수 있도록 되어 있지 않고……」 하며 이 우주의 어느 별엔가는 남자와 여자 말고 제 3 제 4 의 성을 가진 존재들이 어울려 살고 있으리라는 공상을 했었다. 그러나 나는 얼마 지나지 않아서 그런 공상에

서 깨어났다. 왜냐하면 우주는 아무래도 음과 양과 중성이라는 세 가지 성질로써만 이루어져

있으니까 어느 별에 지구와 다른 사람들이 살고 있대야 중성의 성을 가진 사람이 살고 있을 뿐

인데, 중성이란 것이 말 그대로 중성이어서 남자쪽에서나 여자쪽에서나 별놀일없는 존재일

것이라고 생각했었기 때문이다. 거기에 덧붙여서 서로 끌리고 끌어당기며 어울려서 조화를 부

릴 수 있는 것은 아무래도 양과 음 곧 남자와 여자 끼리일 수밖에 없으니 이 우주 어디에도 없

는 제3 제4의 성을 가진 존재를 그리워할 게 아니라 당장 여학교 교문 앞에 얼마든지 널려

있는 여학생들 중에서 좀 힘들더라도 「나의 여자」를 찾으려고 노력할 수밖에 없다고 각오한 적

이 있었다.

어쨌든 수많은 소설이며 연극이며 영화가 거의 전부라고 해도 좋을 만큼 남자와 여자와의 사

이에 벌어지는 얘기를 담고 있는데도 새로운 얘기를 쓰겠다고 나서는 작가들이 얼마든지 있고

또 앞으로도 계속해서 나올 것이 확실한 것을 보면 남자는 고추가 달렸고 여자는 아이를 낳을

수 있다는 여간 큰 차이가 아닌 게 분명하다.

남자와 여자의 다른 점에 대해서는 동서고금에 재미있는 말쓸들이 많이 있겠지만 나에게 인

상이 깊은 것은 독일의 철학자 쇼펜하우어의 주장이다. 그 주장의 대강의 뜻을 내 나름으로 한

번 풀어보겠다.

이 우주는 「자연의 의지(意志)」에 의해 지배되고 있다. 세상 만물은 자연의 의지에 따라 태어났

다가 죽는다. 그 자연의 의지의 한 심부름꾼으로 「종(種)의 의지」란 놈이 있다. 우주의 모든 생

물을 지배하고 있는 것은 바로 그 「종의 의지」인데 그것이 하는 일은 암컷과 수컷이 붙어 새끼를

만들게 하고, 만들어놓은 새끼들을 어른이 될 때까지 돌보며 벌어먹이게 하고, 그 새끼들이 다

자라 자기 새끼를 낳을 수 있는 능력을 갖추게 되면 그 어버이들은 늙어서 죽도록 하고, 다 자란

새끼들은 또다시 암컷과 수컷이 붙어서 새끼를 만들게 하는 일을 끝없이 되풀이하도록 하는 일

이다. 모든 개체는 이 종의 의지에 의해 지배되고 있는데 개체가 하는 짓은 제아무리 저 혼자 알

아서 하는 것이려니 하고 생각해도 실은 모두가 이 종의 의지의 손끝에 놀아나는 것이다. 사람들

도 마찬가지다. 남자와 여자가 저희들끼리 좋아 연애를 한다고 생각하지만 왜 서로 좋아하는

감정이 생기느냐 하면 바로 이 종의 의지가 시켜 그런 것이다. 연애의 달콤한 맛이란 실은

둘이 붙어서 자식을 만들라고 피는 종의 의지가 사람들에게 슬쩍 던져준 미끼인 것이다. 다

른 여자보다 꼭 이 여자가 맘에 든다, 다른 남자가 아니라 바로 이 남자라야만 혼인하겠다는

생각들도 얼핏 생각하면 자기 나름의 특별한 취향 때문인 듯하지만, 알고 보면 서로의 결점을

보충하여 더 완전한 자식을 만들라고 피는 종의 의지가 작용한 탓이다. 키가 작은 남자는 키

가 큰 여자를, 머리가 나쁜 여자는 머리가 좋은 남자를 좋아하기 마련인 것이 바로 그 증거이

다. 그처럼 세상 만물을 지배하는 것은 의지이고 그 중에서도 생물을 지배하는 것은 종의 의지

인데 다른 생물들은 무엇 때문에 자기네가 태어나 새끼를 낳고 늙어 죽는지를 알지 못하지만 다

만 사람만이 자기들을 지배하고 있는 것은 바로 의지라는 놈이라는 것을 「인식할」 수 있는 능력

을 가지고 있다. 이 인식(認識)이란 능력도 따지고 보면 의지에서 생긴 것이지만 불효자식이

부모의 지를 말끄러미 쳐다볼 수 있는 놈이다. 도둑질을 당하고 나서 도둑놈이 누구

인지 아는 것과 모르는 것과의 사이에는 큰 차이가 있듯이 우리를 지배하고 있는 것이 의지라

는 걸 인식 덕분에 알게 된 우리는 그 의지를 떨려잡을 수도 있다. 이를테면 자식을 만들어서
몸을 팔든 뼈가 빠지든 부지런히 벌어먹여 키워놓고 죽으라는 것이 의지의 명령이고, 그 명령
에 꽃이든 나비든 고양이든 호랑이든 따르지 않는 게 없는데, 인식이라는 것을 가진 사람만이
다만 그 허망한 의지의 명령에 따르지 않고 머리 빡빡 깎고 중이 되어 자식을 안 만들어버릴
수도 있고, 의지가 「이젠 죽어라」고 하기 전에 아직도 몇십 년더 살 수 있는 제 목숨을 제 손
으로 끊어버릴 수도 있다. 그처럼 인식은 명악적인 의지에 대항하여 사람을 사람답게 해주는,
사람만이 가진 능력이다. 그런데 사람 중에서도 남자들은 대체로 이 인식이 가리키는 바를 따
르고 여자들은 대체로 의지가 시키는 대로 산다. 『우주는 어떤 법칙에 따라 움직이고 있을까?』
『사람은 무엇을 위해서 살아야 할까」 이와 같이 묻는 것은 대체로 남자들이고 그저 어디 멋진
남자하고 붙어서 아이 낳고 살 수 없나 하고 눈을 희번덕거리는 것은 대체로 여자이다.

이것이 쇼펜하우어 선생의 말씀을 대강 내 나름대로 풀어본 내용이다.
독일의 시인 릴케도 묘한 말씀을 하고 있다. 『남자는 아이를 낳을 수 없기 때문에 예술을 할
수 있다.』

많이들 읽고 있다는 번역된 일본 소설을 보니 그 속에도 비슷한 말이 나온다. 물론 그 소설
의 작가가 만든 대사이겠지만, 4백 년 전쯤의 일본에 강력한 중앙집권 정치를 펴 오늘의 일본
의 기틀을 마련한 도루가와 이에야스(德川家康)라는 장군이 말씀하시기를 『여자란 아이를 낳게
해주고 그 아이와 함께 살아갈 수 있도록 뒤만 대주면 만족해 하는 존재니까……』 그러니까 비
용만 대줄 수 있으면 마누라를 얼마든지 얻어두고 그 여자들에겐 애들이나 키우라고 해두고서

남자는 자기 뜻대로 통일이라든지 정치라든지 예술이라든지 학문이라든지 그런 사업에 몰두하면 된다는 말이다.

물론 머리 깎고 중이 되거나 수녀가 되어 아이를 안 낳아버림으로써 허망한 종의 의지에 대항하는 용감무쌍한 인식의 딸들도 얼마든지 볼 수 있고, 한편 자기네 처자식을 더 배불리 먹여 살리려고 묵숨까지 걸고 남의 나라로 쳐들어가 사람을 죽이고 재물을 빼앗아 오는 짐승 같은 종의 의지의 아들들은 더욱더 많으니 남자는 인식 쪽이고 여자는 의지 쪽이라고 딱 잘라 말할 수는 없었다. 그저 그 동안의 인류의 역사를 훑어보니 사람의 인식능력을 계발(啓發)해 온 사람들이 여자보다는 남자 쪽에 더 많더라는 정도이다. 그나마도 종교, 철학, 예술, 과학 같은 인식의 분야에 위대한 업적을 남겨 인류 발전에 공헌했다는 남자들의 거의가 저보다 힘이 약한 나라에 서슴지 않고 쳐들어가 재물을 긁어모은 강대국에서 많이 나왔고 그들의 업적도 또한 인식이라는 사치스런 일을 단념하고 묵묵히 삶의 고통을 견디며 자식을 길러주는 여자들의 뒷바라지 덕택인 것을 생각해 보면, 인식은 잘 실현된 의지 위에 자리잡게 되는 것이라고 보아야 할 것 같다.

여기서 평소의 내 생각이나 얘기하고 이 알쏭달쏭한 문제에 대한 얘기를 끝맺기로 하자.

나는 남자니 여자니 하는 얘기가 나오면 맨 먼저 떠오르는 것이 「우리나라 남자」와 「우리나라 여자」이다. 그리고 이어서 우리나라 남자 생각을 하면 「병신들!」 하는 소리가 저절로 입에서 나오고 우리나라 여자 생각을 하면 「불쌍하고 미안하고 고맙다」는 느낌에 금방 사로잡히곤 한다. 특히 내 가슴에 떠오르는 여자는 비너스도 아니고 이브도 아니고 미국 여자도 아니고 일본

여자도 아니고 남북한(南北韓)에 살고 있는 우리나라 여자들뿐이다.

더구나 그 모습은 기미가 끼고 햇볕에 그을린 얼굴에 송글송글을 맺혀 있고, 무슨 답답한 사연 때문인지는 몰라도 옷고름이 풀어져서 젖가슴이 나왔는지 바지 엉구리의 지퍼가 열려서 팬티자락이 보이는지도 모르고 허둥지둥 이리 뛰고 저리 달려가는 모습이다. 이건 분명히 남자가 충분히 돈을 대주어 자식을 기르며 만족해 하며 살고 있는 여자의 모습은 아니다. 의지에 충실한 여자답게 자식을 먹여 살리긴 살려야 겠는데 그게 뜻대로 되지 않아서 허둥지둥하고 있는 모습이다.

쇼펜하우어의 말대로 여자가 인식보다 종의 의지에 따르는 존재라면, 여자는 종의 의지가 시키는 대로 남자와 열심히 성교하고 자식을 낳고, 그 자식을 튼튼하게 먹여 키울 수 있을 때에 행복을 느낄 수 있을 것이다. 그런데 종의 의지는 자식을 먹여 키우는 일을 여자한테만 떠맡긴 것이 아니고 그 자식을 만든다는 일에 협력한 남자한테도 떠맡기고 있다. 「남자한테도」가 아니라 오히려 자식 낳는 일을 여자한테 맡긴 대신에 그 자식을 먹여 살리는 일의 몫을 여자보다 남자한테 좀더 많이 떠맡겠다고 해야 할 것이다.

말하자면 남자와 여자가 인식의 편이 되어 「자식을 만들라」는 의지의 명령에 거역하고, 처음부터 자식을 안 만들어버렸다면 의지가 떠맡긴 부담을 뿌리쳐버려도 아무렇지 않지만 어차피 의지가 시키는 대로 자식을 만든 터에는 그후에도 의지가 시키는 대로 자기 몸이야 병신이 되든 빨리 늙어가든 자식을 먹여 키우는 데에 딴생각 없이 충실하는 것이 조리에 맞고 행복해질 수 있는 일이다. 그리고 그 조리가 깨질 때에 불행해진다고 해야 할 것이다. 그러니까 내

가슴에 떠오르는 우리나라 여자의 모습이 불행한 모습이라고 하면 그 불행은 조리가 깨어진 데서 생긴 불행이고 조리가 깨어졌다는 말은 자식을 만들 때까지는 의지의 명령을 고분고분하게 따르던 남자와 여자가 자식을 만든 후에는 갑자기 변덕을 부려 지금까지와는 달리 의지의 말을 잘 안 듣고 인식의 편으로 도망쳤다는 말이 된다.

남자와 여자 중에서 누가 그런 배신을 했을까? 특히 우리나라 남자와 우리나라 여자 중에서 의지를 배신한 것은 어느 쪽일까? 물론 역사를 보면 남자이다. 우리나라 여자들로 하여금 자식들과 함께 편안히 세 끼 밥을 먹으며 행복감을 느낄 수 있도록 해주지 못한 것은 우리나라 남자들이 종의 의지가 던져준 달콤한 미끼는 덥석 따먹어 자식을 만들어놓고는 그러고 나서야 아차 하며 자기만 윤리니, 철학이니, 예술이니, 이데올로기니 하는 쪽으로 살짝 도망쳐서 의지가 시키는 「자식 먹여 살리는 일」에 소홀했기 때문이다. 이런 배신 행위는 의지의 미움을 받게 될 것은 말할 것도 없고 도망쳐 간 인식 쪽에서도 별로 환영받지 못하여 남자 자신도 여자도 그리고 그 사식들도 불행에 떨어지기 마련이다. 우리나라 역사를 보면 조금이나마 행복해 보이는 부분은 남자들이 아예 인식의 편이 되어 머리 깎고 중이 되어 자식을 안 만들고 불국사나 석굴암을 짓고 팔만대장경이나 만들어내던 부분이고 또 한편 철저히 의지의 편이 되어 자식을 자기 목숨을 바쳐서라도 무사히 지키고 남의 것을 빼앗아서라도 배불리 먹여야겠다고 떨치고나 섰던 광개토대왕이나 이순신 장군이 있었던 부분 정도이다. 불행은 항상 남자들이 자식을 만들 어놓고 인식 쪽으로 도망쳤을 때에 생겼다. 문화다운 문화를 만들지도 못하고 짐승처럼 별걱 정없이 튼튼하게 살아보지도 못한 채로 여자들과 자식들만 고생시킨 것은 늘 처자식 가진 남자

들이 처자식먹을 것은 장만해 놓지도 않고 유교니 공산주의니 자유주의니 하는 따위의 인식 쪽

에 턱없이 빠져서 헤어나지 못하고 허위적거리고 있을 때인 것이다.

하기야 이렇게 얘기하고 있는 나 자신도, 처자식 가져놓고 인식 좋아하는 한국 남자답게, 텔레비전이나 라디오에서 「잘살아 보세 잘살아 보세 우리도 한번 잘살아 보세」라는 합창곡이 나오면 「암 그래야지」하는 생각보다는 삼천만이 갑자기 거지가 된 듯한 착각이 들며 그 노래가 「거지 합창곡」같아서 내 스스로에 대한 혐오감부터 앞서곤 한다.

그러나 이 노래는 우리에게 「의지냐, 인식이냐 분명히 선택하지 않으면 불행해진다. 예술이나 학문을 하고 싶으면 아예 처자식 가질 생각을 말고, 처자식을 가졌으면 우리가 지금 아이에게 고기도 제대로 못 먹이고 공부도 제대로 시킬 수 없을 만큼 가난하다는 사실을 똑바로 인식하여 외면하지 말고, 우선 가난에서 벗어날 일부터 하고 보자」는 충격을 주는 데는 좀 상스럽긴 하지만 만점인 노래임에 틀림없을 것이다. 거지가 거지 신세에서부터 벗어나려면 우선 자기가 거지라는 사실을 깨우치고 있어야 할 테니까 말이다.

우리나라 남자를 떠올리면 생각나는 것이 역사책에 나오는 왜구라는 일본 남자들이다. 기록에 있는 것만 가지고 따지더라도 신라시대부터 최근까지 우리가 왜구라고 부르는 일본 남자들은 거친 바다를 건너 우리나라에 쳐들어와 재산을 빼앗아가고 사람을 잡아다 부려 먹었다. 무슨 고상한 인식 때문이 아니라 순전히 자기네 처자식 호강시키려고 남자들이 목숨을 걸고 배를 저어 왔었다. 똑같은 바다를 사이에 두고 왜 우리나라 남자들은 건너가서 빼앗아오지 못했을까? 「우리는 그런 짓을 하지 않고서도 충분히 처자식을 먹여 살릴 수 있었으니까」하고 대답할

18

수 있으면 참으로 좋겠지만 기록을 보면 천만의 말씀이다.

물론, 하찮은 쥐들까지도 먹을 것이 정히 없을 때가 아니면 결코 자기네들끼리 죽이는 일이 없는데, 하물며 사람들이 자기 먹을 것을 위해서 다른 나라 사람을 죽이는 짓을 해서는 안될 것이다.

호랑이가 제 새끼를 위해서 열심히 토끼나 사슴을 잡으러 다니듯이 사람도 제 자식을 위해서 열심히 해야 할 것은 자식들이 먹을 곡식을 재배하고 가축을 기르는 일이지 다른 사람을 죽이는 것이어서는 안될 게 틀림없다. 그러나 처자식 먹일 것을 장만하지 못했으면 남의 것을 빼앗아서라도 먹여야지 먹일 게 없다고 「나는 인식 쪽으로 갑니다」해버리면 곤란하다는 얘기다.

나는 요즘 영화 각본을 쓰느라고 어느 여관에 방을 빌어 들어 있는데 내 이웃 방들에는 일본 남자들이 많이 들어와 있다. 밤이 되면 그들을 상대로 해서 몸을 파는 한국 여자들이 들락거리는데 나는 한국 남자로서 그 여자들에게 「참 불쌍하고 미안하고」 그런 짓을 하면서까지 살아보겠다 하는 데 대해 「고맙다」고 할 수밖에 없는 비통한 느낌을 안 느낄 수 없다. 드러내놓고 말하기가 부끄러운 얘기만 현실은 있는 그대로 볼 수 있어야만 현실을 뚫고 나갈 수 있다고 생각한다.

그러나 우리에게도 희망은 있다. 옛날 왜구들이 자기네의 처자식을 사랑하기 때문에 처자식과 이별하고 목숨을 걸면서까지 우리나라에 쳐들어 왔듯이, 우리나라 남자들도 이젠 처자식을 사랑하기 때문에 처자식과 이별하고 먼 나라에 일하러 가는 것을 두려워하지 않고 예사로 알기 시작했다. 그러면 희망이 있는 것이다. 적어도 의지에 따라 살기로 약속한 사람들은 행복할 수 있다。

　물론, 사람만이 가진 위대한 능력인 인식을 택한 사람다운 사람들은, 사람이라면 누구나 나누어 받은 인식의 능력을 포기하고 종의 의지가 던져준 미끼에 속아 처자식에, 또는 남편과 자식에 매달려 그들을 불행하게 하지 않으려고 무슨 일이든지 두려워하지 않고 목숨을 거는 사람들을 비웃을지도 모른다。그러나 철저히 인식 편에 섬으로써 행복해진 사람들의 비웃음을 받아야 할 사람들은 철저히 의지에 따라 살아감으로써 행복해진 사람들이 아니라, 의지의 달콤한 미끼에도 걸리고 인식의 위대한 능력에도 매력을 느껴 갈팡질팡하며 날이면 날마다 의지에 철저한 남의 나라 남자들에게 침략이나 당하고 자기네 여자들이 몸을 팔지 않을 수 없게 하고, 자식들한테 고기도 제대로 못 먹이고 그렇다고 내세울 만한 문화의 업적도 만들어내지 못하는 그런 남자들이다。

　또 비웃음을 받아야 할 사람은 남편이 먼 나라에까지 나가서 목숨의 위험까지 무릅쓰고 일하여 번 돈을 가지고 의지와의 약속대로 자식을 정신적으로나 육체적으로 튼튼하게 키우는 일에 충실하지 않고 춤이나 추러 다니며 외간남자들하고나 어울려 돌아가고 골방에 모여서 화투나 치고 보석가게나 기웃거리는 여자들이다。

　남자와 여자는 서로 다르게 만들어졌지만 종의 의지의 이불 속에서 만나 행복한 한몸이 되거나 인식의 우아한 전당에서 만나 행복한 동지가 되거나 할 수 있다。

낮은 音聲의 慰勞

慰勞와 激勵

거리에 나갔다가 B양을 만났다. 텔레비전 탤런트인 그 여자는 항상 겅박해 보일 정도로 명랑한 표정이었는데 그날은 몹시 우울해 보였다. 방송국의 높은 양반한테서 굉장한 야단이라도 맞은 모양이라고 멋대로 짐작하고, 차나 한잔 할까, 하고 권했더니 묵묵히 내 뒤를 따라왔다.

우울한 표정의 친구를 길에서 보게 되면, 제일 좋은 방법은 그 친구가 이쪽을 미처 발견하기 전에 슬쩍 지나쳐버리는 거라고 생각하고 있는 사람들이 접접 많아지는데, 내 생각으로는 그건 역시 최하의 방법일 것 같다.

너무 명랑 쾌활한 표정으로도 그 우울한 친구를 대하는 것도 그 친구의 소외감만 더 자극할 뿐이어서 별로 훌륭한 방법은 아닐 것 같고……

내 의견으로 가장 좋은 방법은 이쪽의 시간과 호주머니 사정만 허락한다면, 그 우울한 친구물 다방으로 안내하여 레지에게 조용한 음악을 신청하고 뜨거운 차를 마시며 잡담을 시작하는 것이다. 그러다가 그 친구가 문득 내키어 자기가 우울해 하고 있는 원인에 대해서 얘기를 꺼내면 열심히 들어주고, 또 별로 신통한 의견이 아닐지라도 열심히 지껄여주는 것이다. 그걸로써 그 친구의 고민이 풀리지는 않겠지만, 적어도 자기의 당면한 고민을 자기의 인생 전체에 비교해 볼 수 있는 여유를 가지게는 될 것이다. 아니 그런 여유를 가질 때까지 이쪽은 열심히 지껄여주고 해야 하는 것이다.

요즘 우리들이 가장 결핍을 느끼는 건, 물론 돈이기도 하지만, 그보다도 더욱 위로나 격려가 아닐까? 저 살기에 바쁘다 보니 남을 위로해 주거나 격려해 줄 여유가 어디 생기느냐고들 하지만, 사람들이 저 살기 바쁜 것은 옛날이나 지금이나, 서양이나 동양이나 마찬가지이다. 그런데도 불구하고 어느 시대 사람들은 무척 다정다감했고, 어느 나라 사람들은 서로가 서로를 아껴준다고 얘기할 수 있는 걸 보면, 「살기에 바쁘다 보니」란 건 그럴 듯한 이유가 되지 못할 것 같다.

어쩐 까닭인지 우리나라 사람들은 대부분, 위로나 격려의 말을 듣고 싶어는 하면서도 남한테 해주는 것은 낯간지러워한다. 원래 성품들이 소박해서 그 따위 간사스러운 소리는 할 줄 모른다고 할는지 모르나, 내 경험으로는 정말 소박한 사람들이야말로 남이 우울한 처지에 있을 때 위로해 줄 수 있는 사람들이었다. 그런 말 하기를 낯간지러워하는 사람들은 소박한 게 아니라 자기가 천재인 줄 착각하고 있는 사람들 아니면, 남한테 무시만 당하고 살다 보니 속이 비뚤어질 대로 비뚤어진 바보들이

22

었다.

위로나 격려의 말은 뭐 모성애처럼 그렇게 어마어마한 사랑이 없더라도 조그마한 사랑만 가지고서도 얼마든지 할 수 있는 것이다. 전연 사랑이 없어도 조그마한 친절만 가지고도 할 수 있는 게 위로요, 격려다. 돈처럼, 주고받는 데 무슨 까다로운 조건이 붙는 것도 아니다. 말하자면 공짜로 주어도 아깝지 않은 것이다. 그것은 받는 사람으로서는 위로나 격려의 말 한마디 때문에 이 지구 위에서 살고 있는 것이 기쁘고, 남들이 악마가 아니라 천사로 보이고 자기도 앞으로는 남의 불행에 무관심해지지 말아야겠다고 결심하게 된다는 걸 생각하면 더욱 아깝지 않다.

더구나 위로나 격려의 말의 이상스러운 점은, 그것이 아무리 들어도 그다지 싫증나지 않는다는 것이다. 물론 종로에서 남대문까지 가는 동안 그런 말을 백 번쯤 들었다면 나중엔 약간 피곤하고 귀찮아져서, 자기에게 또 그런 말을 해줄 게 틀림없어 보이는 사람이 저쪽에 보일 때 얼른 샛길로 피해 버리게 될는지도 모른다. 그만한 정도의 짜증은 무관심이나 험담을 겪는 것에 비하면 전연 고통이 아닌 것이다.

그렇기 때문에 나로서는 금방 굉장한 기적이나 이루어놓을 듯이 큰 소리 뻥뻥 치는 정치가보다는 부드러운 음성으로 이렇게 이야기할 수 있는 사람에게 한 표를 던지고 싶은 것이다.

『여러분, 어렵지만 함께 어떻게 견디어봅시다. 좋은 때가 오겠지요.』

높은 음성 낮은 음성

그러나 주위를 살펴보면 사람들의 음성은 점점 높아만 간다. 마치 낮은 음성을 가진 사람들은 모두 사라지고 음성 높은 사람들만 살아남은 세상 같다. 물론 낮은 음성보다도 높은 음성이 얼핏 귀에 먼저 들리니까 그런 생각이 드는 것인지도 모른다. 그렇다고 하더라도 하나의 높은 음성이 다른 음성을 높게 하고, 그 음성이 또 다른 음성을 높이는 그런 현상이 벌어지고 있는 것은 틀림없다. 점점 위로나 격려의 말을 하기에는 알맞지 않은 음성들이 돼가고 있는 것이다.

우리의 집안을 돌아보면 한머니 음성보다는 어머니의 음성이 높고, 어머니의 음성보다는 아내의 음성이 높고, 아내의 음성보다는 시누이의 음성이 높은데, 그중에서 위로나 격려의 말에 가장 어울리는 음성은 할머니의 음성인 것이다.

사실 위로나 격려의 말을 골목길의 행상처럼 큰소리로 떠들 수는 없다. 그런 목소리로써 격려의 말을 외치는 것은 축구나 권투시합의 응원석에 엉거주춤한 자세로 있을 때뿐이다. 높은 목소리 속에 자기도취는 담을 수 있어도 남을 향한 사랑이나 친절은 담을 수 없다. 너무나 낮은 음성을 가진 자는 악한이나 신부님처럼 속이 음흉하고 계산이 심해서 신용할 수 없다고들 하지만, 그래도 자비를 구할 수 있는 것은 그 사람들한테서지 자기도취에 사로잡혀 높은 음성으로 깡깡대는 사람들한테서는 아니다. 높은 음성이 시원해 보이기는 할지라도 이쪽을 고독하게 만들고 결국 이쪽을 골탕먹이는 것은 항상 그런 음성인 것이다.

24

나는 말이 없는 사람에게서와 마찬가지로 음성 높은 사람에게서 한번도 지속적인 친절, 참조적인 사랑을 발견해 본 적이 없다. 그들은 변덕스럽다.

가장 강렬한 사랑을 그들은 때때로 타인에게 보내지만, 그것은 불꽃과 같아서 잠깐 아름다웠다가 곧 견딜 수 없이 캄캄한 밤하늘을 보여주는 것이다. 불꽃은 어디까지나 구경거리지 그것의 밝음을 믿고 우리가 낯선 밤길로 선뜻 걸음을 내디딜 수 있는 조명은 아니다. 낯선 밤길에서 우리의 걸음을 불안과 공포로부터 보호하는 것은 차라리 갓이 깨어진 가로등, 그 흐름을 피우는 석유 호롱불인 것이다.

낮은 음성으로 무언가 열심히 말하려고 애쓰는 사람들에게서만 우리는 위로를 받을 수 있고 거려받기를 기대할 수 있다.

이차피 외롭게들 살아야 하는 어 세상에서 그 외로움을 더 키우지 않고 조금씩이나마 서로 덮어주고 덮어보려고 한다면, 우리는 지금보다 음성을 조금씩 낮추어야겠다고 나는 생각한다.

B양의 경우

B양의 이야기를 계속하자.

B양은 나와 만나기 수십 분 전에, 여학교 때 가까이 지내던 친구들 몇 사람과 어느 대중음식점에서 점심을 함께 했다.

여학교를 나온 이후로는 각자의 생활이 달라져서 그 동안 자주 만나지 못한 친구들이었다.

가정에서 시집갈 준비나 하고 있던 친구도 있고, 직업여성으로 진출한 친구도 있고, 대학에 진학했던 친구도 있었다. 대학을 다닌 친구들도 구체적으로 따져 보면 여러 가지였다. 이른바 일류대학을 무사히 마친 친구, 그 일류대학을 중퇴하고 결혼한 친구, 야간대학에서 겨우 졸업장이나 딴 친구……

말하자면 대학교 졸업 이후 몇 년 동안은, 그들은 피차 너무 다른 생활들을 하고 있었으므로 가령 모두 함께 모일 수 있는 기회가 있었다 하더라도 공통된 화제를 찾기 힘들었을 거고, 또 어느 친구가 느끼는 우월감과 다른 친구가 느끼는 열등감의 간격이 너무 깊고 복잡해서 사실 만나봐야 좋은 기분으로 헤어질 수는 없었으리라.

그러나 대학을 다닌 친구들이 모두 졸업을 하고 나니까 사정은 조금 달라졌다. 어떻든 외면적으로는 형편들이. 모두 비슷비슷해진 것이다. 꼼꼼히 나눠봐도 세 가지 신분뿐이었다. 직장에 나가는 친구, 시집간 친구, 아직 집에서 놀고 있는 친구. 그리고 화제는 더욱 집중되어 모두들 한창 결혼에 관련된 것들에 관심이 쏠리는 형편이 되었기 때문에 그들이 한자리에 모여 점심을 하게 되었다는 건 어쩌면 너무 당연한 일이었다.

B양도 한 친구의 전화 연락을 받고 그 자리에 참석할 것을 기쁘게 약속하고, 약속장소와 시간을 단단히 기억해 두었다가 오늘 그 자리에 나간 것이었다.

B양은 지금은 비록 탤런트로서 성공 중이긴 하지만 여학교 졸업 이후 그 동안의 형편을 다른 친구들에게 비교해 보면 결코 행복한 편은 못되었다. 많은 굴욕을 견디어야 했고, 여러 가지 오해를 받기도 했고, 산다는 것에 대한 환멸감과 자기의 앞날을 생각할 때 깊은 좌절감을 느낀

26

적이 많았다. 사실은 지금도 그렇다. 남들은 그 여자가 수입도 꽤 좋고 자기 일에 완전히 만족해 있는 줄로 알고들 있지만 결코 그렇지 않은 것이다. 거리에 나가면 지나가는 사람들이 그 여자를 몇 번씩이나 돌아보고 가는·데서 자기의 허영심을 약간 만족시킨다는 정도뿐이다. 그리고 카메라 앞에서 자기가 맡은 역을 잘 해내기 위해서, 자기 자신조차 완전히 잊어버릴 정도로 긴장해 있을 때만 자기의 일에 보람을 느낀다는 정도인 것이다. 그외는 모두 불만투성이였다. 특히 사람들의 연기자에 대한 인식의 그 무자비한 점은 딱 질색이었다. 그 여자로서는 이렇게 말하고 싶은 것이었다. 『뭐 예술가로서 존경해 달라는 건 아닙니다. 회사의 경리사무원이나 양장점의 디자이너를 대하듯 하나의 직업여성으로만 생각해 주시기 바랍니다.』

그러나 대부분의 사람들은 그 여자와 막상 얼굴을 대하고 이야기할 때는, 괜히 흥분하여 좋아서 떠들어대고는 돌아서서는 마구 깎아내리고 경멸하고 하는 것이었다. 사람들의 그 변덕,

그 주책스러움을 그 여자는 이해할 수가 없었다.

친구들의 그 모임에서도 그랬다. 이쪽은 원하지도 않는데 모두들 약속이나 한 듯이 B양만에워싸고 연예계에 대하여 이것저것 질문공세를 펴는 것이었다. 그 여자로서는 그런 얘기보다는 결혼한 친구들의 시집살이 얘기를 듣는 게 훨씬 좋았으나, 그러나 친구들의 호기심을, 자기도 옛날 그런 호기심을 가졌던 때가 있었으므로 이해할 수 있어서, 친구들의 물음 하나하나에 열심히 대답해 주었다. 너무 열심히 대답해 주었던 게 잘못이었던 모양이다. 친구들은 그 여자가마치 신이 나서 자기자랑이나 하는 줄로 알았는지 차츰 좌석의 분위기가 어색해지는 것이었다. 그 여자는 차츰 개밥의 도토리같이 되어갔다. 그 여자를 일부러 무시하고 자기들끼리만 소곤

소곤, 계를 하나 조직하려는데 들지 않겠느냐느니, 며칠 후가 첫아이 백일인데 꼭 오라느니들

하고 있는 것이었다. 그래도 그 여자는 비슷한 경험을 많이 겪었기 때문에 억지로 참고 친구들

의 화제에 어울리려고 애썼다. 그런데 설상가상으로 모임이 거의 파할 무렵에야 나타난 친구가

우울해 있는 그 여자를 더욱 여지없이 짓밟아버렸다.

몇 년 만에 만난 그 친구는 늦어진 변명도 하는 둥 마는 둥 비록 웃는 얼굴로써이긴 하지만

대뜸 B양을 향하여

『너 출세했더라! 이젠 빚 좀 갚으렴』

하는 것이었다.

그 친구의 말에 다른 친구들은 마치 B양이 화낭질을 했다는 얘기라도 듣은 듯 표정들을 크

게 지어가지고 B양을 주목했다.

아닌게아니라 B양은 그 친구에게 3천원쯤 빚이 있었다. 몇 년 전, 그때는 B양의 그야말로

청색시대(靑色時代)였는데, 그 친구는 양장점에 옷을 마추러 갈 때 동행한 적이 있었다. 양장

점었어서 그 친구는 혼자 옷 마추는 게 B양 보기에 미안했던지, 계약금은 자기가 빌려줄 테니 마

음에 드는 감이 있으면 옷 한벌 마추라고 자꾸 권하는 것이었다. 양장점 주인여자 역시, 물론

판아덕기 위한 욕심에서겠지만, B양의 몸맵시가 디자이너로서 정말 탐난다느니 어쩌니 해가면

서, B양에게 한벌 마추기를 졸라대는 것이었다. 양장점 안에서 약해지는 여자의 마음이란 술

집 안에서 헤퍼지는 남자의 마음과 같은 것이다. 마침 탐나는 옷감이 있기도 하여 B양은 찾을

돈이야 어떻게 되겠지 하고 눈을 질끈 감아버렸다. 그러나 한창 곤란한 처지였던 그 여자는 종

내 그 옷을 찾아 입어보지 못한 채, 계약금을 빌려준 친구에게 빚만 져버린 것이었다. 그리고

분명히 B양의 실수인데, 그 동안 그 빚을 까맣게 잊어버리고 있다가 지금 그 친구가 말하니까

문득 생각난 것이었다.

『아무리 얼마 안되는 돈이지만 말야, 아무리 친한 사이에도 돈거래는 깨끗해야 하는 거야,

그렇잖니?』

늦게 온 친구는 흥당무가 되어 있는 B양에게 타이르듯 말했다. B양은 그 자리를 더 견딜

수가 없어 마침 갖고 있던 돈을 던지다시피 주고 뛰어나와 버렸다.

듣고 보니 과연 B양이 우울해 하는 것이 당연했다. B양의 얘기가 사실 그대로라면 누구나

곧 그 빚준 친구가 B양의 자존심을 일부러 긁어서 모욕하려고 했다는 것을 알 수 있을 게다.

나는 그 여자의 우울을 위로하기 위해서 빤한 말은 하고 싶지 않았다. 뭐, B양 자신이 인정

하듯이 일차적인 잘못은 B양에게 있다느니, 그렇지만 그 여자도 너무했다, 돈을 돌려받는 게

목적이었으면 여러 사람이 없는 곳에서 좋은 말로 해도 되는 게 아니겠느냐, 아니 그보다

도 그 동안 B양에게 빚 갚을 기회를 줄 수도 있었지 않았겠느냐, 또는 그 친구가 왜 B양을

모욕하려고 했는지 그 심리를 이해할 수 있지 않겠느냐, 자기보다 못났다고 생각하고 있던 친

구가 유명해지고 돈도 많이 버는 것 같고 하니 일종의 자기방어본능이 발동한 것이 아니겠느

냐, 그 심리를 이해하면 그 친구를 불쌍하게 생각할 수 있어도 야속하다 생각지 말라느니, 그

친구는 잃어버렸지만 당신한테는 더 좋은 친구가 얼마든지 있지 않느냐, 아니 그 친구 역

시 잃어버리고 싶지 않다면 어느 때 기회를 만들어서 깜박 잊어버리고 갚지 못한 것이지 일부

러 갚지 않은 건 아니라고 정식으로 사과하고, 그리고 오늘의 이만한 성공이나마 있게 된 건
결코 운이 좋아서만 아니다, 실은 그 동안엔 이만저만한 고생과 노력이 있었다는 것을 그 친구
가 알아들을 수 있도록 얘기하여 다시 그 친구와 친하게 지낼 수도 있지 않겠느냐느니 하는 따
위의 말은, B양 자신더러 해보라고 해도 얼마든지 할 수 있는 말 같아서 하고 싶지 않았던 것
이다.

사태를 분석해 놓았다고 해서 사태가 수습되는 것은 아니다. 악화된 감정을 이성의 차가운
힘으로 달랠 수 있는 사람이라면 그 사람은 이미 남의 충고나 위로가 필요없는 구제받은 사람
이다. 대부분의 사람들이 그러하듯 B양도 어중간한 사람들 중의 하나였다. 즉 너무 무지하고
단순해서 만사에 자기만이 옳다고 우겨대는 원시인(原始人)도 아니고 반대로 자기에게 잘못이
있었던 것을 인정하며, 그 자기의 잘못 때문에 생겨난 다른 사람의 잘못을 용서해 주고 싶어지
는 「전근대적(前近代的)」인 사람도 아니었다. 알 것은 다 알면서 화는 학대로 참지 못하는 「현
대인」에 불과한 것이다.

그러한 B양을 향해서 B양 자신도 알고 있는 것을 새삼스럽게 내 입으로 얘기하여 달래보려
는 것은, 물론 약간의 효과도 없진 않겠지만 오히려 「내 입장은 이렇고, 고로 나는 이토록 이
성적인 사람이니 더 이상 나한테 너의 불행을 호소하지 말라」는 것밖에 되지 않는다. 그것은 남
의 불행에서 발뺌하는 이기적인 수작이지 위로가 아니다. 위로란 설교하는 것이 아니라 남의
불행을 함께 아파해 주는 것이다.

그렇다면 어떻게 하는 것이 함께 아파해 주는 것일까? 그건, 사실은 나도 잘 모르겠다. 내

가 B양을 향해서 위로한답시고, 그리고 격려한답시고 한 말은 겨우 다음과 같은 것이었다.

『잊어버리시오。 우리들이나 그 친구 같은 짓을 하지 맙시다。 그 친구、 어차피 제 명대로 살지 못할 사람 같으니……』

이게 가장 좋은 위로의 말이었다고는 나 역시 생각하지 않는다。 그 여자에게 필요했던 말은 무슨 말이었을까。 아아、 산다는 건 정말 어렵다。

競艷大會와 空想

왜?

미스 코리아 선발대회에서、 가장 영광스런 「미스 진(眞)」으로 뽑힌 아가씨가 실은 기혼녀 였

음이 나중에 드러나서 그만 실격당하고 말았던 사건은 실격당한 본인을 위해서나、많은 경비를

오로지 헛수고를 하기 위해서 쓴 셈이 돼버린 선발대회의 주최측을 위해서나、 그리고 뭣인가

속은 듯 씁쓸한 기분에 젖었던 우리 구경꾼들을 위해서도 참으로 불행한 일이 아닐 수 없었다。

많은 사람들이 그랬지만 나 역시 그 아가씨가 기혼녀임을 폭로하는 주간지들의 그 기승부린 기

사들을 읽으면서 지금쯤 몹시 창피해 하고 있을 본인이 상상되어 딱하다는 느낌 때문에 견딜

수 없을 지경이었다。

결혼한 여자가 왜 그런 데 나왔을까? 설마 뽑히지 않을 자신이 있어서 나왔던 것일까? 자신

의 용모가 어느 정도의 점수를 받을 수 있을는지 정식(?)으로 확인해 보고 싶다는 단순한 호

기심에서 나왔던 것일까? 그렇기만 했다면, 「미스 진」으로 뽑히고 나자마자, 아아, 이렇게라
도 했더라면 얼마나 근사했을까! 관(冠)과 트로피를 점잖게 사양하고 나서 어리둥절해 있는
사람들을 향해 큰 소리로 외친다.

『여러분, 여러분은 저한테 속았습니다. 전 「미스」가 아니라 「미시즈」예요. 속여서 대단히 미
안합니다. 하지만 전, 제가 얼마나 아름다운가 시험해 보고 싶었죠. 젊은 여자라면 누구나 이
런 자리를 통하여 자기의 아름다움을 재보고 싶을 거예요. 다만, 자기가 굳게 믿고 있는 자기
자신의 아름다움이 다른 사람과의 비교에 의해서 그나마 잃어버려지게 될까 두려워하는 마음과
그리고 대중 앞에 육체를 선보인다는 것은 얌전치 못한 여자나 할 것이라는 인습적인 사고방식
이, 이런 자리를 통하여 자신의 아름다움을 재보고 싶은 욕망을 눌러버리는 것뿐이겠죠. 여러
분, 그러나 전 제가 해보고 싶은 대로 해봤을 뿐입니다. 그리고 성공한 것입니다. 여러분, 저
한테 박수를, 호호호호……』

아마 정신병자라는 의심을 받고 병원으로 실려 갔을는지는 알 수 없으나, 그래도 차라리 그편
이 얼마나 좋았을까! 말썽꾸러기인 아웃사이더를 자기네의 하나의 사치품으로서 귀엽게 간직
해 주는 취미가 대중들에게는 있으니까 말이다. 뿐만 아니라 미인선발대회라는 행사 자체에 대
하여 못마땅하다고 생각하고 있는 사람들이 있다면, 그런 사람들로부터는 미인선발대회를 풍자
적으로 조롱했다는 뜻에서, 영웅 대접을 받기조차 했을지도 모를 일이다.

그러나 이건 어디까지나 종이 위에서 내 멋대로 꾸며본 헛된 공상에 불과할 뿐, 알려져 있는
사실들만으로써 짐작해 보면, 그 여자가 미스 코리아 선발대회에 대하여 기대했던 것은 보다

절실하고 보다 심각하고 보다 현실적인 어떤 것이었던 것 같다.

그 어떤 것이란 무엇인가? 가령 그 여자는 자신의 인생을 수정해 보려 했던 것은 아닐까?

아마……

아닌게아니라 미스 코리아 선발대회라는 건 기적을 부리는 요술장이 같은 존재이다. 사회자가 뽑힌 사람의 이름을 부르는 그야말로 눈 깜짝할 순간이 지나고 나면 문득 이름없던 한 아가씨가 대중들의 기억에 화려하게 새겨지며, 골목 속의 한 평범했던 아가씨가 궁전 같은 호텔의 파티에서 상류사회 인사들의 귀여움을 차지하고 공주 같은 존재가 되는 것이며, 그리고 호화로운 외국여행을 즐길 수가 있고 마침내는 재산 많은 집안의 막내며느님으로 모셔지게 되는 것이다.

뭐 꼭 그렇다고는 할 수 없을지라도, 요컨대 어떻게 될는지 알 수 없어 불안하고 초조하던 한 처녀의 장래가 매우 유리하게 보장받게 되는 것은 거의 틀림없다. 그것도 특별한 기술이나 엄청난 학식이 있어서가 아니라, 다만 선천적으로 타고난 육체가 그럴 듯했다는 이유만으로써 말이다.

자기가 지니고 있는 어떤 능력 때문에가 아니라, 있는 그대로의 자기만으로써 남에게 인정받고 싶어하는 건 인간들이 지닌 영원하고 간절하고, 그러나 현실 속에선 이루어지기 힘든 꿈이란 걸 고려하면 저 미인선발대회란 얼마나 희한하고 멋들어진 것이랴! 너무나 불공평하고 너

무나 비현실적이고, 거의 우연이며 지극히 개인적인 저 미인대회의 특징들이야말로, 바로 우리
가 인생에 대하여 꿈꿈이 생각할 때 곧잘 절망감에 빠지는 이유들, 이성과 본능을 총동원하여
빠져나오려고 안간힘쓰는 바로 그 함정이란 걸 생각하면 바로 그런 부정적인 요소들을 배합하
여 꿈을 성취시키는 미인대회야말로 마력적인 것이 아닐 수 없다.

그러므로 그것이 현대 젊은 여성들간에 동경의 대상, 적어도 관심과 흥미의 대상이 되어 있
는 것은 너무나 당연한 것인지도 모른다. 거기에 자기의 운명을 걸어보는 여성이 있는 것도 나
무랄 수 없는 일이다.

최고의 미인이 아니라도 자기의 능력만으로써도 과히 나쁘지 않은 장래가 예견되는 똑똑하다
는 여자의 경우에도 그러하다. 하물며 앞으로의 자기 일생이 무의미한 결로 생각되거나 캄캄한
어둠 속을 내어다볼 때처럼 불안하게 여겨지고, 그런데 그것들을 타개해 나갈 변변한 능력이
없는 사람이 화려한 장래를 약속해 줄 것만 같은 어떤 것이 가까이 있을 때, 비록 그것이 상당
한 무리를 각오해야 하는 것인 줄 알면서도 한번쯤 그것의 유혹에 져보기로 한다는 것은 오히
려 자연스러운 게 아닐까?

누구에게나 자신의 인생을 행복하게 할 권리가 있다. 행복해지기 위해서 지금의 자기 삶을
수정해야 할 필요를 느낄 때가 있는 법이기도 하다. 아니 끊임없이 자기의 처지를 수정하려는
동물이 바로 인간이다. 더럽고 작은 집에서 보다 깨끗하고 큰 집으로 이사하려고 열심히 저축
을 하고 있는 아낙네, 3년 동안이나 사귀던 남자에게 어느날 갑자기 절교를 선언하고 다른 남
자와 데이트를 시작하는 여대생, 정든 부모 몰래 마을을 빠져나와 서울행 기차를 타는 시골 소

녀, 모두들 잠든 깊은 밤중에 마당에 나와서 땀을 뻘뻘 흘리며 줄넘기를 하고 있는 뚱뚱보 여

고생, 자살하는 창녀, 재혼하는 과부……

잘못되었다고 생각되는 지금의 처지를 수정해 보려는 욕망이야말로 인간이 가진 욕망들 중의

욕망, 가장 강력하고, 그 자체로서는 선하지도 악하지도 않은 가장 순수한 욕망으로서, 이 욕

망만큼은 예수님도 부처님도 공자님도 결코 뛰어넘지 못했다.

우리는 그러므로, 만약 그 여자가 그런 욕망으로써 미인대회에 나왔던 것이라면, 그 여자가

가슴 속에 은밀히 숨기고 있었던 그 욕망에 대해서는 조금도 탓할 수가 없다.

競艶大會는 게임이다

그러나 잠깐.

우리는 다른 모든 일에 대해서 그러하듯 미인대회라는 것에 대해서도 우선 그것이 우리에게

줄 수 있는 이익과 손해를 분명히 알고 있지 않으면 안된다. 그것이 가지고 있는 가치와 그것

의 한계를 명확히 해야 하는 것이다.

미인대회라는 것을 맨 처음 생각해낸 사람과 그것을 국제적인 행사로 꾸민 사람들이 그것의

대의명분을 무어라고 내세우든, 우리는 그것을 처녀들의 꿈을 사주하여 만든 하나의 게임 이상

으로 보아서는 안된다.

그렇다. 그것은 상이 약간 두둑한 오락적인 게임 이외의 아무것도 아니다. 남자들 사이에서

의 도박 같은 것이다.

노름판에서는 약간의 돈을 잃을 각오를 하고 걸어볼 수는 있어도, 그것에 자기의 전재산을 걸거나 자기의 장래를 걸어서는 안된다. 전재산을 걸고 화려한 장래를 기대하여 성공한 사람이 일찌기 있었었다고 하더라도 그렇다. 왜냐하면, 모든 게임의 법칙은 반드시 극히 적은 사람만이 따고 많은 사람들이 잃도록 되어 있기 때문이다. 그리고 우리는 그러한 것——극히 적은 몇 사람만을 이롭게 하기 위해서 있는 것을 무가치하다고 하는 것이다.

이해란는 입장에서만 볼 때는 그토록 무가치한 게임들이 그러나 세상에 수두룩히 있는 것은 그것을 하고 있는 동안 우리는 즐거울 수 있다는 점 때문이다. 이기고 지는 것에 대한 흥미는 인간이 가진 약점인 채로 영원한 본능이다. 그 본능을 노출시켜 발산해 버리자는 데 목적이 있는 것이다.

한편 무슨 게임에든지 반드시 규칙이 있는 법이다. 이러저러한 규칙, 바로 그 자체가 게임이다. 게임을 즐긴다는 것은 규칙을 즐긴다는 것이고, 게임에 이기고 상을 탔다는 것도 그 규칙 안에 숨겨져 있는 함정을 뛰어넘어 무사히 목적지에 도착한 노고, 또는 행운에 대한 정당한 보답인 것이다.

싱겁게도 나는 당연한 얘기를 하고 말았지만, 그러나 지난번 사건을 통하여 가장 절실하게 생각되는 것이야말로 그 당연한 얘기였다.

우리가 실격당한 그 여자를 두고 딱해 하는 이유야말로 그 여자가 게임의 기본적인 규칙 하나 몰어겼다는 점인 것이다. 미혼여성만이 참가해야 한다는 규칙에 걸리고 단 것이다. 미인, 최고의 미인이었음에 틀림없는데……

아니, 나는 그 여자의 잘못을 나무라기 위해서 이런 공개적인 글을 쓰고 있는 건 결코 아니

다. 털어놓고 말하자면 이 따위 글이, 그렇지 않아도 퍽 상심해 있을 그 여자에게 이중의 타격

을 주는 결과가 될까봐 진심으로 걱정이다. 그럼에도 불구하고 감히 써나가고 있는 이유는, 그

사건을 통하여 단순히 한 여자의 일신상의 문제 이상의 문제, 오늘날의 많은 여성들이 않고 있

는 문제를 엿볼 수 있는 것 같기 때문이다.

나는 空想한다

비록 오늘날에만 한정되는 얘기가 아니겠지만, 많은 여성들이 자기는 불행한 생활을 하고 있

다고 생각하고 있는 것 같다. 흔히 「보봐리즘」으로 불리어지는, 여성들의 결혼생활에서 느끼는

환멸감은 우리네 남성들이 상상하는 것보다 훨씬 뼈저리게 깊은 모양이다. 특히 우리나라 여성

들의 전통적인 사고방식 속에는, 결혼생활에 대한 피해의식이 깊게 새겨져 있다.

사실 결혼 전에 우리들이 결혼에 대하여 기대하는 것은 그것이 즐겁기만 한 사랑의 놀음이기

를 원하는 것인데, 막상 결혼생활을 해보면 그것이 중노동을 하기 위한 일터같이 느껴지는 게

일쑤다. 좋아하는 사람끼리 (경우에 따라서는 별로 좋아하지도 않는 사람끼리) 다만 함께 있기

위해서 이토록 고된 노동을 견디어야만 한단 말인가 하는 의심이 들 때가 있는 것도 사실이다.

사랑이라는, 경우에 따라서는 인습적인 풍속이라는 것에 잠깐 속아서 엄청난 고역을 떠맡는 것

처럼 생각될 때도 있다. 더구나 물질적으로 풍부하지 못할 때, 그리고 가까운 장래에 풍족하게 되리라는 보장도 없을 때, 그런데 사랑하는 사람과 함께 있는 기쁨도 면역되었을 때, 결혼은 지옥 이외의 아무것도 아닌 것으로 생각될 수 있다. 그리고 만약 똑똑한 여자라면 자기의 내부에 도사리고 있던 20여 년 동안 감추어두고 아끼고 굳혔던 독특하고 견고한 자기 식의, 자기만의 내면생활이 아무래도 자기의 그것과는 다른 사람의 그것과 가까이 있는 동안 오래 쓴 비누처럼 흐느적흐느적 풀려버려, 이젠 자기라고 생각했던 것도 없어져버리는 것 같고 그렇다고 그 대신으로 명확한 모습의 자기가 얼른 형성되는 것도 아닌 명청한 상태를 경험하기란 정말 미칠 일일 것이다. 그럴 때의 남편이란 자기를 파괴하는 가해자(加害者) 이상으로 보이지 않을 수도 있겠지.

아니 아직 나로서는 결혼생활만이 유일하고 절대적으로 가치있는 것이라고 주장할 자신이 없다. 어쩌면 그것 이상으로 가치있는 삶의 형태가 있을지도 모르며, 적어도 사람에 따라서 자기 나름으로 결혼생활보다 더 가치있는 삶의 형태를 발견할 수 있다는 가능성을 부정하려고는 않는다.

그렇지만 이미 결혼한 젊은 여성들이 자기네의 결혼생활을 다른 어떤 형태의 삶보다도 더 가치있는 걸로 만들어내기 위해서 정말 있는 지혜와 정열을 다 하고 있는지, 이번 사건을 통하여 볼 때 은근히 우려되기 때문이다.

가령 이렇게 했더라면 얼마나 좋았을까 하고 나는 다시 한번 안타까운 공상을 해본다. 관과 트르퍼를 점잖게 사양하고 나서 어리둥절해 있는 사람을 향하여 큰소리로 외친다.

『여러분, 여러분은 저한테 속았읍니다. 전 「미스」가 아니라 「미시즈」예요. 속여서 대단히 미안합니다. 하지만 저에게껜 여러분을 속여서라도 최고의 미인 칭호를 듣고 싶다는 고충이 있었읍니다. 서는 최근에 결혼생활이 어쩐지 무의미하게 느껴졌읍니다. 이것은 사랑하는 남편과 함께 노동의 즐거움을 맛봐야 하고, 우리의 생명을 이어나갈 아이를 낳아 길러야 하는 자연의 법칙에 위배되는 위태로운 느낌입니다만, 하여튼 전 뭔가 시들한 느낌에 견딜 수 없었읍니다. 저의 이런 위태로운 느낌에 대하여 곰곰이 생각해 봤읍니다. 그리고 저는 아직도 우리 부부의 사랑이 여러 가지 유혹을 이겨낼 만큼 깊게 익어 있지 않은 까닭이란 걸 깨달았읍니다. 책임은 남편에게도 있겠지만 제 자신에게 더 많은 것을 깨달았읍니다. 전 아직도 제 자신을 사랑하는 만큼 남편을 사랑하지 못했던 것입니다. 나의 모든 것을 아직 충분히 남편에게 바치지 못했던 것입니다. 나의 모든 것이란 물론 저의 맘이기도 합니다만, 여자인 저로서는 저의 외면적인 아름다움도 그 모든 것 속에 포함된다고 생각합니다. 오늘 저는 영광스럽게도 최고의 미인 칭호를 얻었읍니다. 저는 우선 이것을 남편에게 바치려고 합니다. 그리고 이후로 저의 맘도 모두 바칠 것을 결심합니다. 그래서도 결혼생활이 무의미하게 느껴진다면 어떻게 합니까. 할 수 없이 그만 둬야죠. 저의 자그마한 가정생활 때문에 여러분에게 폐를 끼쳐서 대단히 죄송하게 생각합니다.』

역시 정신병자라는 의심을 먼치 못했을는지 모르나, 미인대회라는 맹랑한 것을 처음 고안해 낸 사람과 이 여자 중에서 어느 쪽이 좀더 정신병자에 가까울지는 전문의사가 판가름해 줄 것이다.

處女論

어느 날 길에서 우연히 그 여자를 만난다. 조금 전 행인들 틈에서 그 여자의 얼굴이 보였을 때에야 내가 알고 있는 사람들 중에 저런 얼굴을 가진 사람이 있었지, 이름이 뭐더라? 저 여자도 나를 알아봤군, 여자가 웃는 얼굴로 가까이 온다. 아 아무개라는 이름의 여자였지, 라고 나 할 여자이니까 친밀한 사이는 아니다.

그러나 몇 달 전 또는 몇 해 전에, 등산 코스의 어느 지점에서 쉴 때, 또는 빨간 갓이 달린 탁상전등이 탁자 위마다 놓인 어느 레스또랑에서, 또는 오징어 한 마리를 사기 위하여 들른 구 멍가게에서 우연히, 또는 수학문제 하나를 풀어달라고 찾아와서 책상 곁에 얌전히 무릎을 꿇고 앉아 있을 때, 또는…… 그렇다, 어떠한 우연 속에서라도 좋다. 다만 내가 문득 그 여자의 맑은 웃음소리와 밝은 표정과 미지(未知)에 대한 호기심으로 가득찬 눈짓을 느끼고 아무런 부담 없이 마음 한 구석이 따뜻해짐을 잠시라도 느꼈던 바로 그 여자다.

『안녕하세요?』라고 그 여자가 말하고, 『어디 가십니까?』라고 나도 말한다. 잠깐 길 가운데

41 處女論

멈춰서서 서로 얘기를 몇 마디 주고받아도 좋고, 그냥 그 정도의 인사말로써 지나쳐도 좋다.

다만 언젠가 우연히 그리고 짧은 시간 동안이나마 내가 그 여자에게서 입었던 은혜——그 여자

의 밝은 웃음소리, 밝은 표정, 미지에 대한 호기심으로 가득 찬 눈짓에 의하여 순수한 기쁨을

느낄 수 있었던 사실을, 그 감정을 지금 길에서 몇 달 후의, 또는 몇 년 후의 그 여자에게서도

다시 얻을 수 있기만 하다면!

그리고 어느 날 어느 장소에서 우연히 그 여자를 또 만난다. 문득 나는 그 여자는 이미 내가

알고 있었던 그 여자가 아님을 발견한다. 이제 그 여자의 눈 속에는 권태의 나른한 그림자가 감

출 수 없이 나타나 있고 입가에는 당황과 사람을 경계하는 칙칙한 미소가 쭈욱 유지되어 있다.

곧잘 깜박이고 이리저리 굴리던 그 여자의 눈동자는 이미 그 빛나는 움직임을 멈추어버렸다.

안정되었다는 것일까? 그렇다면 왜 저 눈동자는 초점을 잃어버리고 있을까? 아무 사물(事物)

이 없는 허공을 응시하듯이, 아아, 이젠 처녀가 아닌 것이다.

정직한 여자일수록 처녀가 아닌 표시는 그 여자의 언행(言行)에 뚜렷이 나타난다.

남자들은 우선 정직한 여자를 구한다. 그리고 처녀를. 그래서 수많은 여자를 거쳐냈음에도

불구하고 『언제라도 처녀인 여자만 만나면 그 여자의 교양이 어떻든, 지식이 어떻든 결혼해 버

리겠다』고 얘기하는 친구가 있는 법이다.

그 친구가 여자에게서 바라는 것은 무엇일까? 수많은 가능성을 향하여 자기의 촉각을 내두

르는 발랄함, 할 수 있는 한 많은 미덕(美德)으로써 생에 자기의 자리를 잡으려는 성실, 우선

그것이 처녀들의 일반적인 특징이고, 남자들이 여자에게서 바라는 것이 아닐까? 남자들은 여

자를 자기에 맞도록 길들이고 싶어하기 때문이다. 자기 나름으로, 또는 다른 남자가 개입하여 일정하게 굳어버린 여자는 무슨 매력을 가질수 있단 말인가?

『엎질러진 물이니 과거의 실수는 깨끗이 잊어버리고 새로 시작해 보십시오』라는 「인생 십자로」, 또는 「어찌하오리까」의 해답 선생님들의 의견은 훌륭한 것이다. 그러나 자기 부인의 몸속에 이미 어떤 남자가 조금이라도 자리잡고 있었다는 사실을 알았을 때 남자는 이성(理性)의 명령에 끝까지 복종할 수 있을까? 자기의 감정에 저항해야 한다는 사실 자체가 남자에게는 불행한 것이다.

무엇보다도 우선 여자는 육체적으로 처녀가 좋다. 「여자는 여러 번 태어난다」는 보브와르 여사의 말이 맞다면, 그중의 중요한 한번의 탄생은 자기에 의해서 이루어지기를 모든 남자는 자기의 여자에게 바라고 있기 때문이다.

자기의 성(性)을 발견했다는 것은 많은 것을 동시에 발견했다는 것이 아닐까? 때로는 불안과 초조와、 소설이나 영화 속에서만 보던 정신적인 고통이 이젠 자기의 것임을、 때로는 편안하게 구속된 자유와 달콤한 권태와 무력감(無力感)을、 때로는 방향이 생긴 행동에의 의지와 수치감이 없어진 상태 속에서의 정열을. 어쨌든 산다는 것이 부담으로 생각되기 시작한 것이다.

그러나 처녀는 그렇지 않다.

아직 자기의 「처녀」를 그 무엇과 바꾸지 않았기 때문에 그 무엇은 여자의 공상 속에서 얼마든지 화려해도 좋다. 지구가 없어질 때까지라도 아름답게 반짝이는 것들의 무더기——보석의 더미가 있다면 그것은 처녀의 가슴 속이리라.

그리하여 희랍 신화의 모든 여신들이 자기들의 때와 먼지에 더러워진 몸을 「처녀의 샘」으로 끌고 가고 싶어하던 이유는 명백해지는 것이다. 모든 비처녀(非處女)의 소원이 그 신화 속에 있다.

그러나 처녀의 상태를 바라는 것은 여자들뿐만이 아니다. 남자들 역시 여자에게 항상 바라고 있는 것은 처녀적 상태이다. 사람들은 그토록 잡되면서도, 잡된 사람일수록 더욱 순수한 것을 바라게 된다. 그 모순을 우리는 받아들일 수밖에 없다.

이미 처녀가 아닌 여자들이 언제든지 달려갈 수 있는 「처녀의 샘」은 없을까?

현실적으로 가능한 것은 여자들이 항상 처녀의 속성(屬性)을 유지하려고 애쓰는 태도일 것이다. 처녀막을 유지하라는 얘기는 아니다. 수녀(修女)들이 때때로 추해 보이는 것은, 비록 처녀이긴 하지만, 그들은 어디엔가 자기를 바쳐버림으로써 자기들만의 가능성을 닫아버린, 이미 처녀는 아니기 때문이다.

그들의 눈동자는, 내가 어느 날 어느 장소에서 만난 여자처럼 이미 반짝이지도 않고 실새없이 구르지도 않는다.

차라리 수많은 손자를 거느린 할머니에게서 우리는 처녀를 느낄 때가 더 많다. 그것이 중요하다.

여자들이 찾으려는 노력만 기울인다면, 「처녀의 샘」은 어디에고 있을지 모른다. 그 샘물로 목욕을 할 수만 있다면 남편은 항상 당신을 욕망하리라.

결국 모든 처녀는 자기의 처녀를 어디에고 바쳐야 한다. 처녀는 마치 나쁜 향수와 같아서 병

속에 너무 오래 두면 그 자신의 독소(毒素) 때문에 썩어버린다. 그렇다면 처녀를 어디에 바칠 것인가.

자기 꿈의 창구(窓口) 저편으로 처녀라는 수표를 내밀고 현실이 주는 현금을 받을 수밖에 도리가 없다. 그러나 그 현금으로써 필요한 생을 사는 외에 자기가 처녀 시절에 자기의 좋은 속성으로써 가지고 있던 것을 다시 사는 영리함을 잊어서는 안될 것이다.

과연 모든 것이 처녀막 저편에 있다. 그러나 그 모든 것이란 것이 기대했던 만큼이나 만족스러운 것일까? 일단 처녀가 아니게 된 뒤에도 자기의 처녀를 고집하려는 태도가 계속되는 한, 미래는 빚을 계속해서 가질 수 있을 뿐이다.

여자들은 모두가 처녀가 되라, 끊임없이 끊임없이.

溫達처럼 平康公主처럼

家庭은 自我完成의 道場

대학시절, 사회학 강의실에서 「가정의 목적이란 첫째 합법적인 성생활(性生活)、둘째 경제적 공동생활、세째 자녀교육」등이란 가르침을 듣고 꿈많은 총각으로서 나는 『애개、 겨우!』어쩐지 신비한 환상이 우르르 무너져내리는 듯 맥이 쑥 빠지는 느낌을 받은 적이 있었다。 사랑하는 여자와 가정을 꾸미고 사는 데는 좀더 고상하고 원대한 목적이 있을 것만 같았던 것이다。 기껏해서、 남의 눈을 피하여 애인을 데리고 여관 같은 데 드나드는 게 불편하고、월급을 쓸데없는 물건이나 사고 친구들한테 술이나 사주면서 낭해 버리느니 기왕이면 그 돈 가지고 서너 사람이 먹고 살자고 그리고 남자와 여자가 붙어살다 보면 저절로 생기게 마련인 애들 뒤치다꺼리나 해주자고 부부생활을 하는 것이라면、 그것만이 가정의 목적이라면、 오、 난 결혼 같은 것 않하겠다。 혼자서 사는 쪽이 훨씬 뜻있는 일을 할 수 있겠다。 그런 다짐을 해본 적

46

이 있었다.

그렇지만 나 역시 어쩌다 보니 가정을 갖게 되었고, 그리고 이렇다 할 후회도 없다. 오히려 가정을 가져봄으로써, 가정의 목적은 사회학이 주장하듯 「합법적 성생활, 경제적 공동생활, 자녀교육」 등이 아니라 「자아완성」이라는 점을 발견하게 된다. 사회학이 주장하듯 그것은 「목적」이 아니라 가정의 「출발요건」 정도인 것이다. 물질적인 본능의 해결, 그것은 부부 각자의 정신적인 행복, 도덕적인 완성을 위한 밑받침이지 그 자체가 목적일 수는 없다는 것을 확인하게 된다. 물론 밑받침으로서 그것들의 운영이 얼마나 원만하고 튼튼하냐에 따라서 목적인 「자아완성」도 그 크기가 단단함이 좌우될 수 있기 때문에 대단히 중요한 것이긴 하다.

남편 입장에서 「처덕(妻德)」이란 말이 생길 수 있는 것도 그 「요건들」과 관계되어서일 것이다. 아내 입장에서 「남편 잘 만났다」는 말도 마찬가지일 것이다. 부부 사이의 성생활, 경제생활, 자녀교육 등의 기본적으로 안정되어야 할 바탕에 문제가 생기거나 상대방에게 어떤 흠이 있다면 그 기본요건이라는 목적도 그만큼 어려워지는 것이다. 실제로 오늘날 우리나라 사람들 대부분이 자기 완성이라는 목적인 듯이 착각할 수도 있는 것이다. 그리고 그것이 목적인 듯이 착각하니까 허덕이고 있는 그 문제해결 자체조차 해결하지 못하고 나자빠지곤 하는 것이다. 가정의 목적이 「정신적인 행복, 도덕적인 완성, 자아완성」이라는 것을 잊지 않으면 그 목적에 의하여 그 기본 **요건들의 문제는 적절히 조정될 수 있으며 그 문제를 해결하는 지혜가 생기게 마련이다.**

妻家德보다 妻德으로

대체로 「처덕」이라고 하면 바로 부부가 그런 기본요건에서 문제에 부딪쳤을 때 좋은 지혜를 내는 아내의 은덕(恩德)을 말함일 것이다. 다분히 물질적인 그 기본요건과 관계되기 때문에 처덕이라는 말에서는 자연히 그다지 고상하지 못한 뉘앙스가 풍기기도 한다.

어느 상과(商科) 대학의 교수 한분은 『자기 자본이 없으면 부자집 딸과 결혼하도록! 자본형성의 가장 빠른 한 가지 방법이다』고 가르치고 있다. 아내가 가져온 자본으로 자신의 능력을 발휘하여 큰 사업체를 이룩할 수 있었다면 그야말로 「남편 좋고 아내 좋고」, 그런 처덕도 있을 것이다. 어쩐지 구린내가 난다고는 하지 말자. 능력있는 남자가 많은 사람을 고용한 큰 사업체를 잘 경영하여 사회에 이바지하는 것도 산업사회에서는 하나의 커다란 선(善)이라고 해두자.

건강한 아내를 가졌다는 것도 「처덕이 있다」고 할 수 있을 것이다.

지지리도 처덕이 없는 남자라면 누구다 누구다 해도, 역시 심청(沈淸)의 아버지 심학규(沈鶴圭)씨일 것이다. 앞 못 보는 장님인 남편한테 핏덩어리 딸만 하나 떠억 안겨주고 해산한 지 며칠 만에 죽어버린 마누라보다 더 한심스런 마누라가 어디 있겠는가. 마누라란 잔소리를 좀 꽁알꽁알 해대더라도 건강한 몸으로 오래오래 살며 무거운 냉장고도 저 혼자 훌쩍 옮기고 애들이 밖에서 얻어맞고 들어오면 달려나가 떠린 애를 야단쳐주고 그러다가 그 부모와 싸움이 되던 상데편 머리채를 잡아 흔들어줄 수도 있어야 좋을 것이다.

삼봉사 얘기가 나왔으니 말이지만 그 후처(後妻)라고 할 수 있는 뺑덕어미 역시 한심스럽기
짝이 없는 여자다. 애초에 뺑덕어미가 심봉사의 후처를 자원한 이유도 뭐 장님인 심학규씨의
눈이 돼주어 심학규씨로 하여금 남자의 포부를 성취하는 데 도움이 돼주겠다는 나이팅게일 정
신에서가 결코 아니라 오로지 심청이가 몸팔아 벌어놓고 간 그 재산으로 편하고 재미나게 지내
기 위해서일 뿐이었다. 「쌀을 주고 엿사먹기, 벼를 주고 고기사기, 술집에 술먹기와 이웃 집에
밥 붙이기, 빈 담뱃대 손에 들고 보는 대로 담배 청하기, 이웃집을 욕 잘하고 동무들과 쌈 잘
하기, 정자 밑에 낮잠자기, 술취하면 울음 울고 동리남자 유인하기, 1년 3백60일을 입 잠시
안 놀리고 못 견디어……」 그러다가 재산이 바닥나자 간부(姦夫)와 제2의 인생을 위해 달아
나버리는 것이다.

家出아내와 溫達의 아내

수년 전에 우리집에 가정부로서 일해 주던 아주머니는 내 고향 근처의 농촌에서 남편과 세
자식을 내버리고 서울로 도망쳐온 여자였다. 끼니 때가 돌아오는 게 벌벌 떨리게 무서울 만큼
가난한 살림이 지긋지긋해서 다 내버리고 도망쳐왔다는 그 아주머니는 그렇다면 많은은 월
급이지만 모았다가 자식들에게 부쳐주리라는 내 기대는 아랑곳없이 해보고 싶던 파마도 하고
신고 싶던 구두도 사 신고 알록달록한 양산도 사느라고 월급을 받는 대로 다 써버리더니 또어
디론가 훌쩍 가버리는 것이었다.

가난 때문에 가족들과 헤어져서 돈벌러 객지(客地)에 나선 것은 그 아주머니뿐만이 아니다. 어쩌면 우리가 살고 있는 이 시대는 국민학교밖에 안 나온 사람이건 대학을 나온 사람이건 거의 온통 가족과 헤어져서 다른 지방이나 외국으로 돈벌러 흩어져 있는 것이 특징이라고 할 수 있다. 여기서 중요한 것은 파마나 하고 구두나 사 신기 위한 돈벌이인가 아니면 보다 고귀한 정신 적인 이상(理想), 도덕적 완성을 목적으로 한 기본요건의 충족을 위한 것인가 하는 점이다. 그리하여 처덕이라면 뭐니뭐니 해도 남편의 잠재해 있는 능력을 계발시켜 주고 부족한 면을 보완시켜 남편으로 하여금 도덕적 자아의 완성이라는 이상을 갖게 하고 그것을 성취할 수 있도 록 도와주는 아내의 음덕을 가장 높게 쳐야 할 것이다.

어려운 소리 길게 할 것 없이, 바보 온달의 아내 평강공주(平康公主)와 내친구 K의 아내 A 여사의 경우를 보면 정말 좋은 처덕이란 어떤 것인지 알 수 있다.

아시다시피 평강공주는 가난하고 무식한 나무꾼 온달에게 시집가서, 자기가 가진 비단짜는 기술로 가계를 돕고 남편에게 글을 가르치고 무예를 연마하게 하여 드디어 남편을 가장 뛰어 난 장군으로 만든다. 온달은 장군이 되어 국가의 평안을 위하여 외군(外軍)과 전쟁터에서 싸 워 이기고 죽는다. 처덕과 남편의 도덕적 완성이라는 본보기로서는 가장 모범적인 얘기일 것 이다.

내 대학동창인 K는 농촌 출신의 넉넉지 못한 청년이었다. 불문학 공부를 하지만 타고났다고 할 만큼 문학적 재능이 예민하다고 할 수 있는 친구도 아니었다. 다만 온달이처럼 약간 우직할 만큼 성실한 친구라고 할 수 있다. 대학을 나오자마자 E여대를 나온 A라는 여자와 결혼했다.

50

A씨 역시 홀어머니의 외딸로서 지방 출신의 녁녁지 못한 여자였다. 다만 남의 일도 자기 일처럼 잘 도와주고 다른 사람과 금방 친해지는 사교적인 성격이어서 친구가 많다는 것만이 그 여자의 재산이라고 할 수 있었다. 결혼해서 한동안은 전세방에서 살면서 아내는 남편이 고등학교 강사, 여고생들의 불어 개인교습 등에서 벌어오는 수입으로 가난한 살림을 꾸려나갔다. 어린애가 둘씩이나 되고 보니 남편은 영영 돈벌이에 짓눌려 학자로서의 꿈은 구어보지도 못하고 말 것 같아 아내는 안타까와 왔다. 마침 도불(渡佛) 장학금을 얻은 남편을 프랑스로 가게 하고 잡지사 기자, 모교(母校) 총장의 비서실 근무 등을 하며 가계를 꾸려가는 한편 싼 집을 사서 수리하여 팔고 하는 식으로 재산을 모아갔다. 그 동안 친구들의 헌 옷가지를 얻어다가 고쳐 입곤하였다. K가 수년 만에 드디어 프랑스에서 문학박사 학위를 받고 돌아왔을 때 아내인 A여사는 자그마하나마 예쁜 마이홈과 벌써 국민학교 상급반인 아이들을 남편 앞에 내놓았다. 그 착한 아내 앞에 남편은 이제 아무도 그의 타고난 문학적 재능을 의심할 수 없는 탁월한 문학적 식견(識見)을 내놓은 것이다. K는 지금 문학평론가로서 그리고 지방대학의 불문학 교수로서 활발한 활동을 하고 있는데 평강공주란 옛날 얘기가 아니라는 생각을 나는 A여사를 볼 때마다 한다.

아내 자신이 먼저 깨어야

평강공주나 A여사의 경우에서 알 수 있듯 친정에서 가져온 재산이나 육체의 아름다움이 아닌 슬기로움과 노고(勞苦)로써 남편에게 처덕을 베풀려면 먼저 아내 자신이 깨어 있어야 한다. 타고날 때부터 지혜롭고 깨우친 사람이 어디 있겠는가. 부부의 목적을 높은 곳에 설정할 때 저절로 생기게 마련인 관심(關心)을 존중하여 그 관심을 충족시켜 보려 노력하는 중에 지혜도 생기고 지식도 얻는 것이다. 장님을 무지(無知)나 무능력의 은유(隱喩)라고 한다면 사실이지 많고 적은 차이는 있지만 무지하지 않고 전지(全知)한 사람이 어디 있으며 우리들 개개인에게 능력이 있으면 얼마나 있겠는가. 우리 모두가 십봉사라 할 수 있는 것이다. 잊지 말아야 할 것은 뺑덕어미처럼 남편과 더불어 본능적이고 물질적인 삶의 즐거움만을 기대하는가, 평강공주처럼 도덕적인 완성을 기대하는가 하는 차이에서 슬기로운 처덕이 나올 수도 있고 안 나올 수도 있다는 것이다.

52

어 머 니

가령 이런 경우가 있다. 내 친구가 찾아와서 점심을 같이하지 않으면 안되게 될 경우가 생긴다. 어머니께서 들여준 밥상을 보니 반찬이 형편없다. 내 기억이 틀림없다면 아침에 먹고 남은 콩껍국이 적어도 한 사람 몫은 있을 텐데 그것도 밥상 위엔 놓여 있지 않다. 아마 내가 잘못 기억하고 있는 것이어쨌지 생각하고 그럭저럭 점심이라는 것을 때우고 친구와 함께 외출하기 위해서 밖으로 나가려고 한다. 그런데 어머니께서 나를 잠깐 부엌에서 보자신다. 내가 부엌으로 들어가면 어머니께선 부엌 문을 안으로 잠그시고 나서 고깃국을 내놓으시며 여기서 소리나지 않게 살짝 먹고 나가라는 말씀이시다.

나는 내 어머님께 무안을 드리기 위해서 이런 폭로를 하는 게 아니다. 그리고 이 이야기를 읽으며 아무도 내 어머님이 나쁜 분이라고 비난할 수는 없을 것이다. 왜냐하면 어머님을 가지고 자란 사람은 누구나 한번쯤은 이런 경우를 당해 보았을 거고, 그보다 먼저 이른바 모성애라는 것의 정체가 바로 그런 것이니까 말이다.

살기가 각박해질수록 더욱더욱 모성애는 방금 이야기한 바와 같은 형식——원시적이고 본능적인 것으로 노골화한다. 어머니라는 존재가 바로 원시적인 것이긴 하지만 너무나 본능적이기만 하면 좀 어떨까 하는 생각이다.

먹고 남은 한 그릇의 고깃국이라도 내 친구의 밥그릇 곁에 놓는다면 내가 그 친구 집에 갔을 때엔 뜨거운 고깃국을 대접받으리라는 것을 왜 내 어머님은 계산하지 않으셨을까. 참 민망스럽다.

내가 본 奢侈

어느 날, 영등포를 통과하는 버스를 타고 있을 때, 나는 차창을 통하여 거리에 서 있는 한 여자를 보았다.

옷차림은 영등포만큼이나 더러웠다. 어린애를 업고 있었고 머리도 마구 헝클어져 있었다. 그런 빈민의 차림새를 한 여자는 서울의 변두리에서는 얼마든지 볼 수 있다. 그런 아주머니를 외국인들은 가난한 한국의 상징으로서 카메라에 담아 가겠지만 우리는 무심히 지나쳐버린다.

그런 여자들은, 봐서는 나이도 교양도 헤아릴 수가 없다. 그런 차림을 한 여자를 보면 우리는 그 여자를 으레 나이가 많고 교양이 없다고 생각해 버리고 상대하게 된다. 그런데 그날 영등포에서 내가 본 그 여자는, 버스가 꽤 오래 한 곳에 멈춰 서 있었기 때문에 자세히 관찰할 수가 있어서 그랬었던 것인지는 모르겠으나, 적어도 나이는 얼마쯤이라고 짐작할 수 있는 여자였다.

그 누더기 같은 차림새를 비집고 그 여자의 나이만이라도 밖으로 나타나 있다는 사실에서 나는 이상스럽게도 깊은 감동을 받았다.

그 여자가 유난히 밝은 표정으로 길가에 서 있었던 건 아니다. 이마를 덮을 만큼 머리카락은 흐트러져 내려와 있었고 가끔 등에 업은 아이를 추기는 팔짓도 아주 힘이 없어 보였다. 더구나 시선은 깊은 걱정을 가진 탓인지 어느 곳을 보고 있다고도 할 수 없는 그런 것이었다. 실례를 무릅쓰고 상상을 한다면, 남편에게 한 차례 얻어맞고 아이를 업은 채 집을 뛰쳐나와서 길을 잃어버린 여자 같은 자세였다.

아마 아직 스무 살쯤, 나는 그렇게 생각했다. 그 여자가 보여주는 처참한 분위기가 나의 눈을 흐리게 했었던 것일까. 그렇지는 않았다. 떠와 햇볕에 젖어서 검은 얼굴의 피부는 매끄러워 보였고 콧날은 아름답게 높았고 눈은 그 검은 피부 속에서 참 귀엽게 검은 얼굴의 피부는 매끄러워 보였고 심지어 교양조차 있어 보이게 한 것이 아마 그러한 그 여자의 생김새가 그 여자를 앳되게 만들고 있었고 심지어 교양조차 있어 보이게 한 것이 아니었을까? 그때 나는 문득 「사치」라는 말이 생각난 것이다.

나는 비싼 옷과 비싼 장신구로써 몸을 단장하고 나선 명동거리의 어떤 못생긴 여자를 상상한다. 명동에는 그런 여자들이 많다.

그 여자가 어떤 기회에 영등포의 그 여자를 만난다. 그리고 명동의 못난이는 생각한다. 『저 여자 얼굴은 자기 신분에 비추어 너무 사치스럽군.』 만일 그때 우리가 그 여자 곁에 있다면 우리는 이렇게 말할 수 있는 것이다.

『당신 옷은 당신의 얼굴에 비해서 너무 사치스럽군.』

여기서 나는 사치가 악(惡)이 될 수 없음을 깨닫는다. 자기에게 부족되는 것을 채우기 위해서 무엇을 장만하는 행위를 사치라고 한다면 말이다.

56

영등포의 여자는 복되게도 신(神)으로부터 사치할 것을 허용받았고, 명동의 여자는 스스로의

힘으로써 사치하려고 할 뿐이다.

자기에게 부족되지 않음에도 불구하고 더 가지려고 하는 것, 그것을 나는 허영이라고 부르며

그것은 나도 미워한다.

명동의 못난이가 영등포의 이쁜이에게 『당신 얼굴은 당신의 신분에 비해서 너무 사치스럽군』

이라고 말할 때 그 말 속에 「너의 얼굴을 내가 가졌더라면」 하는 생각이 조금이라도 있었다면

바로 그것이 허영이고 허영을 부리는 여자를 나는 한마디로 일컫는다, 『이 도둑년아!』라고.

戀情에 대하여

연정(戀情)이라는 단어에서는 연륜을 느끼지 않아서 좋습니다. 세상에는 퍽 많은 종류의 정이 있읍니다만 모두가 한결같이 연륜에 의한 뉘앙스를 가지고 있어서 금방 이해되어 지지가 않습니다. 그 예로 우정이라는 것이 있읍니다. 20대의 우정과 40대의 우정에는 많은 차이가 있읍니다. 아니 한마디로 우정이라 해버리기에는 어쩐지 주저될 정도로 심한 차이가 있어서 가능하다면 이름을 따로따로 지어 붙여주고 싶을 정도 입니다. 처세술——통념일는지 모르나, 이것이 40대의 우정인 듯합니다. 공동이 넘이니 생활의 전우(戰友)니 하는 아름다운 말로써 수식하고들 있으나 아무래도 그것은 가면(假面)인 듯합니다. 한편 20대의 그것은, 네가 죽으면 나도 따라서 죽겠다는 식의 엄청난 정열을 가지기는 했읍니다만 그런만큼 얼마나 배반당하기 쉬운 것인지요! 배반이라고 해서 물론 당사자끼리의 배반이 아니라 애초에 세상이 생겨먹은 꼴에 의한 배반입니다. 흔히 20대의 우정에서 나는 차라리 연정이라고 부르고 싶을 정도로, 고도의 정열을 가진 헌신적인 것을 봅니다만, 그럴 때마다 내가 읽었던 제임스 조이스의 한 마디——

남자와 남자 사이에는 성교섭(性交涉)이 있을 수 없기 때문에 진실한 애정은 불가능하고, 남자와 여자 사이에는 성교섭이 없을 수 없기 때문에 진실한 우정이 불가능하다——라는 뜻의 얘기가 생각나서 한숨이 쉬어지곤 합니다.

이건 뒤에 얘기하기로 하고, 요컨대 우정이라든가 사제지간(師弟之間)의 정이라든가 등의 수많은 정은 자기의 일부를 내어주고 나서, 이젠 됐지 뭘, 하고 시침떼어 버려도 되지만 자기의 전체를 내맡겨도 부족해서 오해가 생기고 갈등이 생겨 유구한 세월 동안 드라마의 기본 주제로 되어온 것이 바로 연정이 아닌가고 생각해 봅니다.

어렸을때는 무척 화려한 상상을「연정」이란 단어에 쏟아보았읍니다. 아주 얇은 망사(綱紗)의 휘장 저편에서 뿌옇게 어른거리는……식으로 말입니다. 그렇게 생각하던 무렵에 써놓은 글이 가끔 책상을 뒤지거나 할 때 발견되지만 얼마나 근거 없는 망상을 하고 있었던가 하고 쓸쓸히 웃어봅니다. 얼마 전까지는 일종의 구원책(救援策)을 거기에서 발견하려는 노력을해 보았던 듯합니다.

말하자면 자책(自責) 없는 도피처——살기가 싫어질 때, 긴장에 시달릴 때 그리고 쫓기는 듯한 느낌으로 하여 매일밤 무서운 꿈을 꾸어야 할 때 내가 피해 가서 한숨 돌릴 수 있는 곳——그것이 여인이고 혹은 내가 여인에게 주는 아마 사랑이라고 생각하고 있었읍니다. 그럭저럭 나는 연정을 지상(至上)의 안식처로 생각하고 있었고 그러기 때문에 무척 아끼고 있었던 모양입니다.

여기까지 쓰다가 보니, 자기의 연정을 퍼부을 여인을 찾아 헤매노라는 한 다정한 친구가 생각납니다. 아직 한번도「가슴 두근거림」을 느끼게 하는 여자를 보지 못했다고 하며, 그러면서 그는 수많은 여자를 겪어내고 있읍니다.

곁으로는 제법 「돈 주앙에게 왜 연정이 없었겠느냐? 그는 매번의 여자에게 충실한 연인이 었지」하고 큰 소리를 칩니다만, 그러면서 다수의 여자를 곁에서 보고 있는 내가 눈이 부실 정도로 속성(速成)으로 해치우고 있는데 아마 눈치가 진짜 연정은 못 찾고 만 듯합니다.

하긴 제임스 조이스 선생도 남자와 여자 사이엔 성교섭이 가능하기 때문에 항상 진실한 애정이 있을 수 있다고는 말하지 않았으니 그 친구가 결국 못 찾고(아니 아직 못 찾고 있는 거라고 난 생각하고 있지만) 만 것도 이유가 있는지 모르겠습니다.

내 자신의 경우는 마침내 그 연정이라는 걸 발견한 모양입니다만 좀더 어렸을 적에 상상하면 그런 것과는 조금도 닮지 않았읍니다. 내게 휴식을 가져다주는 것이 아니라 오히려 내게 머근 짐을 가져다주는 것만 같읍니다. 나의 경우는 차라리 연민이라고나 할까요. 여자가 불쌍하다는 느낌 같은 것입니다.

그 여자가 내게 헌신적이면 헌신적일수록 나는 한 인간이 다른 인간에게서 받는 온기(溫氣)가 무척 감격스럽게 생각되면서도 어쩐지 그 두 사람이──주는 사람과 받는 사람이 눈물이 날 만큼 불쌍해지는 것이고 (이 경우를 이런 식으로 표현하고 있는 나는 아마 받고 있는 남자에게 서서니 발자국 뒤에 서서 그들을 보고 있는 모양입니다) 그것을 받을 때 그 여자에 대한 보답으로 느끼는 것은 더욱 무거운 책임감뿐입니다. 어쩌면 이건 내게 연정이 없다는 것인지도 모르겠읍니다.

이 글의 처음에서 나는 연정에 대한 굉장한 찬미나 할 듯한 기세였지만 세상에 태어나서 이 제겨우 한 스무 해쯤 살고 있는 놈으로선 이 세상 전체에 대해서와 마찬가지로 하나의 감정에

60

대해서도 굉장한 찬미나 객관적인 얘기도 할 재주가 없읍니다.

그저 이따금 느끼곤 하는 것은, 연정을 잘쯔부르크의 나뭇가지에 맺히는 결정(結晶) 같은 걸로 비유했던 스탕달은 거짓말장이가 아니었나 하는 것과 내가 상상하던 연정은 아마 없는 것이거나 혹은 너무 순수한 것이고 그리고 플라토닉한 연정을 가질 시대는 지났고 크레이지한 연정만이 존재할 수 있는 오늘날엔 수많은 여자를 겪어내는 내 친구가 결국 진실을 안 게 아닌가하는 것입니다.

그러나 이렇게만 생각하기에는 좀 서운하고 그래서 이렇게도 생각해 보고 있읍니다. 진실한 감정에는 갈등이 있고 책임이 따르고 발전하면 연민으로 된다고.

그러나 이건 어디까지나 나의 얘기에 불과합니다. 다시 한번 말하지만 나는 내 애기밖에 할 줄 모릅니다.

이 글을 읽는 나이 많은 여러분 중에는 내가 상상하고 있던 아름다운 연정을 가져본 분도 있겠읍니다. 그런 분은, 세상에는 이런 엉터리 연정만 애기하고 있는 놈도 있는 걸로 아시고 여러분 자신을 행복하다고 생각하시기 바랍니다.

어린 시절의 두 가지 이야기

나의 婚姻記 ·

新婚日記

아장아장 아기가 달려왔다

어린 시절의 두 가지 이야기

미운 사람 앞에서 웃고

저는 외가집에서 태어났읍니다. 제가 세상에 태어날 무렵은 저의 외할아버지께서 일본 오사까(大阪)의 한 귀퉁이에서 주로 한인(韓人)을 상대로 하는 한약방을 벌여 제법 이름을 얻은 뒤였다고 합니다. 남들은 두 살 때의 일도 기억에 있다고 합니다만 저는 네 살 때 그곳을 떠났으면서도 그곳에 대한 기억이 전연 없읍니다. 있다면 우리가 살던 집이 2층의 목조건물이었다는 정도인데, 그것도 저의 확실한 기억이라기보다는 자라나면서 어머니나 외할머님으로부터——이 두 분은 그곳에서 살던 때를 아주 그리워하고 계십니다——늘 들었기 때문에 자연히 저의 상상이 기억처럼 착각되는 것인지도 모릅니다. 사실은 외할아버지의 얼굴도 기억에 남아 있지 않읍니다. 태평양 전쟁 말기에 폭격이 심하여져서 그곳의 모든 것을 정리하고 진도(珍島)로 옮겼는데 외할아버지께서는 그때까지도 살아 계셨으니까 아마 제가 다섯 살이 됐을 때일 텐데 그럼에

도 불우하고 외할아버지에 대한 기억이 전연 없는 것입니다. 사진을 보면 금테안경을 쓰고 콧
수염을 기르고 부처님처럼 생긴 귀와 입을 가지시고 크고 매서운 눈을 가지신 영감님이셨던 모
양인데, 저의 기억에는 그중 하나도 남아 있는 게 없읍니다.

제가 태어나게 된 것은——자기에 대한 시시껄렁한 얘기를 늘어놓는 것을 용서하시기 바랍니
다. 자기 자신의 어린 날을 누구에게 얘기한다는 건 때로는 참 즐거운 일들 중의 하나니까요
——동경에 유학 중이던 김(金) 아무개라는 대학생이 대판에서 한약방을 경영하는 윤약국(尹藥
局)——제 외할아버지를 사람들은 그렇게 불렀다고들 합니다——의 딸, 소학교와 고등학교를
일본에서 마친, 말하자면 일본여자가 다 되어 있는 처녀와 중매결혼을 한 결과로서였읍니다.
제가 태어난 후까지도 제 아버님은 대학생복을 입고 계셔야 했던 외조부모님들의 마음씨에서였던지, 아니면 귀염둥이
외딸을 좀더 오래 집에 붙잡아두고 싶어하셨던 처지였던지, 아니면 모르지만, 요컨대 저는 네 살 때까지 아
버지쪽 사람들의 얼굴은 구경도 못하고 외가집에서 자라났다고 합니다.

쓸데없는 얘기는 그만하고 본론으로 들어가겠읍니다. 저는 지금은 퍽 얌전해졌지만——이건
제 어머님의 의견입니다——어렸을 때는 형편없는 개구장이였던 모양입니다. 이제 겨우 달음박
질이나 할 수 있을 무렵엔 약방 앞길에서 오가는 멍치 큰 아이들을 괜히 건드려서 얻어맞곤 했
답니다. 손가락으로 문구멍을 뚫어놓거나 온 방바닥에 낙서를 하는 것은 어떤 아이나 다 하는
짓이라고 하더라도 저를 보살피는 사람에게 제일 질색인 것은 말도 아직 잘 할 줄 모르는 애기
가 먼 거리까지 가서 길을 잃어버리고 울며 헤매다니는 짓을 하는 것과 약재(藥材)를 넣어두는

사람들을 이것 저것 함부로 빼서 약재들을 뒤섞어버리는 짓을 하는 것이었다고 합니다. 저의 외할아버지께서는 친손자보다도 외손자인 저를 더 귀여워하셔서 될 수 있는 대로 곁에 두시려고 하셨다는데 그러나 약재서랍을 이것 저것 함부로 빼서 그 내용물들을 섞어버리는 데는 아주 질색이셨던 모양입니다. 그럴 때마다 저를 방바닥에 엎드리게 해놓고 손바닥으로 저의 궁둥이를 때리시곤 하셨는데 그러면 저는 앙앙 큰소리로 울어댄다는 것입니다. 지금도 저는 엄살이 좀 센 편인데 어렸을 때는 더욱 심했을 테니 그 녀석의 울음소리로 얼마나 컸으리라는 건 짐작할 만합니다. 그렇게 죽는 시늉으로 울고 있던 녀석이, 그러나 외할아버지께서 변소에 가시기 위해서 자리에서 일어나시면 자기도 후닥닥 자리에서 일어나서 주먹으로 눈물을 훔치며 방문을 열고 복도로 뛰어나가 변소까지 가는 도중에 있는 문이란 문은 달려가며 모두 열어놓는다고 합니다. 외할아버지께서는 심한 중풍(中風)으로 한쪽 다리가 부자유스러우셨다고 하는데——외할아버지께서는 그 병으로 결국 돌아가셨다고 합니다——그런 외할아버지를 위해서 그 꼬마녀석은 평소 외할아버지께서 변소에 가실 때엔 항상 외할아버지의 방에서 변소에 이르는 도중에 있는 아버지께서는 그 병으로 결국 돌아가셨다고 합니다——그런 외할아버지를 위해서 그 꼬마녀석은 평소 외할아버지께서 변소에 가실 때엔 항상 외할아버지의 방에서 변소에 이르는 도중에 있는 많은 문들을——일본식 주택엔 문이 많습니다——외할아버지의 앞장서 달려가며 열어놓아 드리곤 한 것입니다. 그랬기 때문에, 외할아버지께서는 변소에 가실 필요가 생기실 때는 항상 『쓰루짱!』——저의 어렸을 때 이름은 학길(鶴吉)입니다——하고 저를 부르시곤 하셨다는데 매를 맞고 제가 울고 있을 때엔 암 말씀도 안 하시고 자리에서 일어나셨다는 겁니다. 그러면 그 꼬마는 얼른 울음을 그치고 문 열머 달리기를 시작했다는 겁니다. 그러는 저를 보며 외할아버지께서는 눈물을 질금질금 흘리시며 웃으셨다는데 아마 그 꼬마가 너무 귀여워서였겠지요. 외손자와 외할아버지 사이에 생긴 작은 불화(不和)는 그런 식으로 끝났다고 합니다.

이 얘기를 저의 외할머님이나 어머님께서는 지금도 가끔 하시는데 아마 「어렸을 때 너는 그렇게도 귀여운 아이였다」는 뜻에서 하시는 듯합니다. 그러나 저는 그 얘기를 들을 때마다 소름이 오싹오싹 끼치는 것을 느낍니다.

이따금 저는 저를 이루고 있는 나쁜 축(軸)들에 대해서 생각해 보곤 하는데, 제가 방금 들려드린 얘기 속에서 끄집어낼 수 있는 축이야말로 제법 장성한 지금도 저를 이루고 있는 못된 축이 아닌가 하는 생각입니다. 물론 그 얘기는 얼핏 들으면 다소 사랑스런 얘기일 겁니다. 서너 살 된 아이가 할아버지에게서 매를 맞고 울고 있다. 한쪽 다리가 부자유스러우신 할아버지가 변소에 가시려고 자리에서 일어나신다. 아이는 얼른 울음을 그치고 할아버지께서 변소 가시는 길이 편하도록 할아버지를 앞장서 달리며 문들을 열어놓는다. 얼핏 들으면 괜찮은 애깁니다. 또는 그 아이가 남이라면 그저 아무렇지 않게 그 얘기를 들어버리고 말겠읍니다. 그러나 그 아이가 바로 저였다는 게 저는 너무 싫은 기분인 것입니다.

영리함 또는 약삭빠름. 그 얘기에서 끌어낼 수 있는 것은 그 아이의 놀랄 만한 계산입니다. 한 아버지의 마음에 다시 드는 방법을 그 아이는 재빨리 발견한 것입니다. 왜 계속해서 울고 앉아 있지 않았느냐, 이 여우야, 하고 저는 어린 날의 저를 향하여 욕해주고 싶은 심정입니다. 왜냐하면 약삭빠름이라고나 밖에 표현할 수 없는 그 나쁜 축은 오늘의 저 속에도 자리잡고 있기 때문입니다. 밖으로 나타나는 형태가 바뀌어진 것뿐입니다.

예컨대 저는 저를 고맙고 다정하게 대해주는 사람들에겐 어쩐 일인지 서먹서먹하게 굴거나

무례하게 굽니다. 오히려 제가 미워하거나 싫어하는 사람들에겐 고분고분하게 굴거나 저와의 관계에서는 항상 그쪽에 이익이 돌아가도록 일처리를 해버립니다. 홀로 있을 때면 저는 그 두 종류의 사람들과 동시에 그들을 대하는 저의 태도가 뒤바뀌어져 있음을 분명히 깨닫고 제 자신에 대하여 울화가 치밀지만 그러나 영 고쳐지지가 않습니다. 그런 태도의 뒤바뀜을 일컬어 「노예근성」이라고는 안 하는지 무섭습니다. 다만 한 가지 저의 무기를 언젠가 고등학교 선배 한 분이 제게 깨닫게 해준 게 있읍니다. 『승옥이 네 웃음은 조금도 좋아서 웃는 웃음이 아니다. 네가 웃는 걸 보고 있으면 이쪽이 괜히 나빠』라고 그 선배는 말했던 것입니다. 그러고 보면 저는 좋아하는 사람 앞에서보다는 싫어하는 사람 앞에서 더 많이 웃었던 것 같습니다. 무기, 그러나 얼마나 힘없는 무기입니까! 요즘 그리고 앞으로 제가 대하는 사람들은 기분이 좀 나빠졌다고 해서 제게서 빼앗을 수 있는 자기들의 이익을 포기해 버릴 바보들이 결코 아닐 것이기에 말입니다.

사랑을 가르쳐 준 여동생

제게는 동생 둘이 있읍니다. 둘 다 남자인데 사실은 지금 살아 있는 그 둘 밑으로 여자애가 하나 있었읍니다. 지금까지 살아 있다면 금년에 열 여덟이 됩니다. 그 애는 네 살 때 죽었읍니다. 그 애가 죽을 때 제 나이는 열ㆍ한 살이었읍니다.

혜경이는 아버지께서 돌아가시자마자 태어난 말하자면 유복자였읍니다. 그 애가 태어날 때는 여순(麗順) 반란사건이 진압되고 있을 무렵인데 우리는 순천(順天)의 우리집에서 광양(光陽)이라는 곳에 있는 친척집으로 피난을 가 있었읍니다. 그 친척집에서 태어난 것입니다. 그 친척집은 딸부자집인데 비록 남의 아이이긴 하지만 저의 어머님께서 아들을 낳기를 바라고 있었던 모양입니다. 그러다가 딸이 나오니까 이번엔 딸이 나오기를 기다리고 있었던 것입니다. 아버지께서도 이번엔 딸이 나오기를 기대하셨다고 하는데, 그러나 그 딸을 보지 못하고 돌아가셨읍니다. 허지만 돌아가시기 전에, 만일 아들을 낳으면 이름을 아무개라 부르고 딸을 낳으면 혜경이라고 부르라는 당부는 잊지 않으셨기 때문에 그 아이를 혜경이라고 부르게 됐읍니다. 마당 위로 총알이 날아가고 여기저기서 총살이 행해지고 있는 판국에 아버지의 얼굴을 볼 수 없는 운명으로서 태어난 그 아이를 우리 식구들은 유난히 예뻐했읍니다.

특히 저는 그 애를 위해서라면 무슨 짓이라도 하겠다는 생각이 들 만큼 그 애를 사랑했읍니다. 제가 그 애를 거의 독차지하여 업고 다녔읍니다. 그애의 오줌 똥도 제가 걸레로 닦아내곤 하였읍니다. 그애는 젖을 때면 날을 잊지 못하겠읍니다. 그 무렵 우리 집안의 식량 사정은 형편없어서 어머니의 가슴에서는 젖이 잘 나오지 않는 젖을 그애가 빨아대니까 어머니의 젖꼭지는 헐어버릴 지경이어서 어머니는 그애가 젖을 달라고 다가오면 무서움조차 느낄 정도였던 모양입니다. 마침 젖을 뗄 때가 되었으므로 어머니는 뒤꼍에 자라고 있는 어떤 풀의 줄기를 꺾어서 그 꺾인 부분에서 나온 뜨물 같은 즙액을 젖꼭지에 발랐읍니다. 그 즙액은 아주 쓴 맛을 내기 때문에

70

혜경이는 입을 엄마의 젖꼭지에 대자마자 상을 찌푸리며 고개를 흔들어뗐읍니다. 결국 이젠 엄마의 젖을 얻어먹을 수가 없다는 걸 알았을 때 그애는 신경질을 내며 울어뗐읍니다. 그애의 안타까움이 저에게도 그대로 전해져서 저도 같이 울었읍니다. 그애는 밥 먹는 것을 배우기 시작하였읍니다만, 그애가 죽을 때까지 먹은 것은 어른들도 먹기 싫어하는 깡보리밥이었읍니다.

6·25가 날 무렵엔 우리는 여수(麗水)에서 살고 있었읍니다. 어머니께서 바느질 품삯 일을 하심으로써 우리는 살아가고 있었읍니다. 어머님께서 하시는 일에 방해가 되지 않도록 저는 그애를 항상 밖에 데리고 나가 놀았읍니다. 그런데 어쩐 일인지 땅에 발을 대는 것을 그애는 어떻게나 싫어하는지 저는 구슬치기를 할 때도 그애를 업고 있어야 했읍니다. 이제 겨우 말을 배우고 있는 아이가 마루를 오르내릴 때 혹시라도 땅에 맨발이 닿으면 곁에 발바닥을 한참동안이나 문질러대고 있곤 했읍니다. 6·25 때 우리는 남해(南海)라는 섬으로 피난을 갔읍니다.

거기서 우리는 배급받은 감자가루를 끓여먹고 살았읍니다.

그애가 죽은 것은 6·25도 끝나서 다시 여수로 나왔다가 거기서 순천으로 옮긴 후였는데 경기가 나서——저는 「경기」라는 병이 어떻게 생기는 것인지 지금도 모릅니다. 아마 열이 십했을 때 정신착란을 일으키는 것인 듯하다고만 생각합니다——죽었읍니다. 그애가 죽던 날 밤을 잊지 못하겠읍니다. 그때 어머니는 그 지방 사람들이 「아랫녘」이라고 부르는 패 먼 해안지방으로 무명과 바꿔오기 위해서 감을 몇 광주리 가지고 가시고 집에 안 계셨읍니다. 혜경이는 죽던 날 아침부터 하루 종일 울고 있었읍니다. 우리들은 으레 엄마가 보고 싶어서 우는 것이려니만 생각하고 「엄마 곧 온다」고만 달랬읍니다. 사실 그 다음 날 어머니는 돌아오시기로 돼 있었던 것입니다. 밤이 되면서부터 그애는 거의 제 정신이 아닌 상태로 울어댔습니다. 그때 집에는 두 메산골에서만 평생을 살아오신 할머니와 저와 동생들밖에 없었습니다. 너무 그애가 울어대니까 할머니는 신경질이 나셨던지 저걸 밖으로 내쫓아버리라고 하셨습니다. 저는 그애를 업고 캄캄 한 밖으로 나와서 둥게둥게를 하기도 하고, 여러 가지 말로 그애를 달래기도 하였습니다. 밤이 깊었을 때 그애는 까무라쳤습니다. 그제야 할머니는 그애가 병이 든 거라는 걸 깨달으셨던지 음은 그치지 않았습니다. 밤이 되면서부터 우는 울음소리는 마치 신음소리 같았습니다. 밤이 부랴부랴 밖으로 나가시더니 한참 만에 어떤 노파를 데리고 왔습니다. 노파는 혜경이가 경기가 난 거라고 하면서 마늘과 바늘을 가져오게 하더니 바늘로 혜경이의 손가락 끝을 콕콕 찔러 피를 내고 마늘로 혜경이의 뒤통수를 비벼대는 것이었습니다. 그애는 그럴 때마다 파드득파드득 경련했습니다. 저는 엉엉 울었습니다. 새벽 3시경에 그애는 죽었습니다. 저는 우리 할머니와 그 노파에게 달려들었습니다.

제가 진실로 누구를 사랑해 본 것은 그애뿐이었습니다. 지금은 얼굴도 생각나지 않습니다만, 그애를 생각하기만 하면 눈물이 납니다. 그애는 사람을 사랑하는 능력을 저에게 일깨워준 최초 의 그리고 유일한 사람이었습니다. 그리고 죽음이라는 것에 대해서 생각해 보기를 제게 권유한 최초의 사람이었습니다.

그애가 저에게 가르쳐준 사랑, 그것은 「사랑」이라는 말에 대하여 제가 가지고 있는 개념입니 다. 즉 제게는 사랑이란 연민(憐憫)을 뜻하는 것입니다.

나의 婚姻記

作家는 결혼하지 말라

「계속 소설을 쓰려면 결혼하지 않는 게 좋지 않을까?」 하고 나에게 충고해 준 친구들이 의외로 많았다. 내가 좋아하는 소설가들 중의 한 사람인 앙리 드 몽페를랑 선생은 숫제 소설가가 결혼을 하면 그날이 바로 그 사람의 제삿날이라도 되는 듯이 떠들고 계신다. 심지어 이번에 내 신부가 된 여자조차도 한때 나에게 『결혼하지 마세요, 댁은 결혼하면 안될 사람예요』한 적이 있으니, 얘기가 이정도쯤 되면 내가 뭐 햇병아리이나마 소설가는 소설가니까 대접을 해주느라고 결혼을 하지 말라는 뜻을 넘어, 「네 인간됨을 보아하니 가정을 거느리고 살만한 놈이 못된다」는 얘기로 해석할 수밖에 없는 형편이었다.

물론 작가이기 위해서는 까다로운 조건들이 많다. 그 까다로운 조건들 중에서도 가장 까다로운 조건이 있다면, 아마 그건 자유스러워야 한다는 것일 게다.

그는 편견(偏見)에 사로잡혀서는 안되고, 지나치게 관습을 존중해서는 안되고, 상식을 의심없이 받아들여서는 안되고, 어떠한 사태 어떠한 사람도 절대적인 걸로 보고 대해서는 안되고, 세상에 존재하는 모든 관계를 어떤 한 점에서만 이해하려고 해서도 안되고…… 말하자면 「안되고」의 투성이이다. 「안되고」라는 말에 얽매어 사는 작가가 어떻게 자유스러울 수 있느냐는 물음도 나오겠지만, 생각해 보시기 바란다. 그 「안되고」들을 지키기 위해서 얼마나 큰 자유가 필요한 가를.

그의 머리와 가슴은 항상 열려 있어야 하며 동시에 마치 벌꿀처럼 끈적끈적하게 즉 굳어 있지 않아야 한다.

작가이기 위한 또 하나의 까다로운 조건은, 아니 조건이라기보다, 작가들은 그러기 때문에 필연적으로 고독하다는 얘기도 나오게 된다. 고독 좋아하네, 하면 그뿐이겠지만, 좋아하는 게 아니라 우리의 생활 속에서 비교적 종합적이고 객관적인 문제의 핵심을 잡아내서 얘기해야 하는 작가의 임무를 수행하려면 위에서 대강 나열한 「안되고」들을 지켜야만 겨우 가능하며, 그러자니 마치 마을사람들이 모두 거룩하게 여기고 있는 성황당을 의심해서 불질러 본 어떤 사람이 그 마을사람들에게서 물매를 맞고 쫓겨났을 때 느낄 수 있는 것과 비슷한 고독감을 느끼게 된다는 것이다. 그 고독은 좀 복잡한 고독이어서 어떤 경우엔, 앞의 예를 늘여서 얘기한다면, 성황당을 의심했던 자기 자신까지도 의심하게 되니까 생기게 되는 깊은 고독감인 것이다.

가만 있자, 신혼 소감을 쓰자는데 엉뚱한 고독은 왜 나오는 것일까? 참 남편 얘기가 아니라 작가얘기를 하고 있었지. 얘기를 계속하자.

74

작가는 어쩌면 불행과 고난에 가장 가까이 있어야 하는 사람인지도 모른다. 적어도 불행과 고난 속에서 단순히 반사적으로만 피로와해서는 안되는 사람들이다. 좋은 예는 아니지만 쉬운 예를 들면, 누가 자기를 불로 지질 경우를 당해서도 「아이쿠 뜨거! 옳지, 이건 전기다리미로구나. 아이쿠 뜨거! 옳지, 이건 숯불 다리미로구나」 하는 식으로 살아야 하는 사람들이란 얘기다.

한편 작가는 인생의 진짜 모습을 붙잡아 버리고 아무데나 뛰어드는 것을 사양하지 말아야 하는 사람들이기도 하다. 하느님의 가슴 속으로부터 창녀의 자궁 속까지 들어가 봐야 뭔가 얘기할 자신이 생기는 사람들이다.

이 정도의 얘기만으로도 창작을 한다는 것이 얼마나 단독적인 행위이며 추상적인 행위인가를 짐작할 수 있으리라. 한 작가가 작품을 구상하고 만드는 동안엔 그 일에 대하여 아무도 도와줄 수 없으며 도와줄 필요도 없는 것이다. 재단사의 일은 백묵으로 그어놓은 자국을 따라 가위질을 해줌으로써 도울 수 있다. 고리대금업자의 일은 주판을 놓아줌으로써 도울 수도 있다. 그러나 창작하는 사람들의 일은 오히려 곁에서 없어져주는 게 도움이 되는 경우가 더 많은 법이다.

횡설수설 얘기가 길어졌지만 결론적으로 쉽게 한마디 한다면, 작가란 그저 저 혼자 세상을 다 알고 싶어하는 놈들이란 얘기다. 아니 그보다는 작가란 남들에게 세상을 살라고 해놓고는 자기는 좀 떨어진 곳에서 그들을 구경하고 있는 놈들이라고 얘기하는 게 더 옳을지도 모르겠다. 요컨대 나로서는, 나에게 결혼하지 말라고 권한 사람들의 참뜻이 어디에 있었는가를 생각하다 보면 이제까지 얘기한 바와 같은 점들에 이르게 된다는 말이다.

과연 그럴까? 나의 욕망이 나 자신에 대하여 작가이기만을 원하고 있다면 나는 결혼하지 말

아야 하는 것일까?

나의 結婚觀

총각시절엔 어느 남자나 한번쯤 생각해 보는 정도로는 나 역시 결혼 같은 건 안할 작정을 해

본 적은 있다. 물론 「난 소설을 써야 하니까」 하는 따위의 거룩한 생각으르써가 아니라, 첫째

돈을 벌 자신이 없다는 점과, 둘째 평생을 같이 살 수 있을 만큼 사랑할 수 있는 여자가 세상

에 있을 수 있을까 하는 점과, 세째 정신적으로나 육체적으로나 방황하지 않으면 어쩐지 살고

있지 않은 듯이 느끼는 나의 성격 때문에 결혼이란 것과 나와는 별도 인연이 있어 보이지 않은

때가 있었던 것이다.

그런데 첫째의 문제 즉 돈을 벌 자신이 없다는 문제야 지금 대한민국 남성이면 젊으나 늙으

나 모두 부딪치고 있는 터이니 새삼스레 나까지 떠들 건 없을 것 같고, 두번째 문제 즉, 평생을

사랑할 수 있는 여자가 있느냐는 문제는 곰곰이 생각해 보니, 연애기간 동안의 여자는

문자 그대로 애인일 수 있지만 그 애인이 일단 아내가 되면 두 사람의 관계는 마치 형제끼리의

관계와 같은 성질을 띠게 되는 것일 테니 염려할 게 없지 않느냐는 결론을 얻게 되었다.

이것에 대해서 설명을 덧붙이자면, 한 남자와 한 여자가 결혼한 후에도 마치 연애기간 동안

처럼 서로의 감정을 살피고 사랑의 변화에 신경을 쓰고 작은 일로도 오해를 하여 며칠씩 신경전을 벌이고 하는 식으로 살려면 어찌 기나긴 세월을 제 정신으로 살 수 있을 것인가? 그런데 도 세상에는 자꾸 부부가 생겨나고 그리고 그 부부들이 속이야 어떻든 겉으로 보기엔 끄덕없이 붙어 살아가는 걸 보면 거기엔 반드시 어떤 조화가 있음에 틀림없다. 그런데 내가 생각해 본 바로는 그 조화야말로 결혼 이후에는 두 사람의 관계가 형제끼리의 그것처럼 변하게 된다는 것이다. 내가 얻은 결론이 정확하기만 하다면, 그러므로 평생을 사랑할 수 있는 여자가 있느냐 없느냐는 문제로 골치를 썩일 건 없다는 얘기다.

나머지의 문제 즉 방황해야만 살고 있는 듯이 느끼는 나의 성격에 대한 문제가 어떻게 해결 됐느냐 하는 점에 대해서는 여기서 간단히 얘기해 버릴 수 없을 것 같다. 분명하지 않은 대로 대강 얘기한다면 다음과 같은 얘기나 할 수 있을까?

내가 작가가 되기 위한 훈련도 제대로 받지 못했고 작가가 되고 싶다는 욕망에 싸여 열심히 독학해 본 적도 없이 무모하게도 소설이란 것을 끄적거리게 된 것은 실은 저 방황하는 나의 성격 때문이었다. 나의 방향이 부질없는 방황 자체로 끝나 버리지 않고 그 방황의 현실 속에 눈에 보이는 어떤 물건으로 나타날 수 있기 위해서는, 내가 다른 어떤 직업보다도 소설쓰기를 택했을 때만 가능하겠다는 계산을 했었으니까말이다. 사실 끊임없이 변화하는 걸 봐야 속이 시원하고 자기 자신도 늘 변하기를 바라는 사람의 직업으로서는 소설가가 괜찮은 짓이라고 말하고 싶다.

쉽게 말하자면 변덕장이는 소설가가 되라는 얘기인데, 이 변덕장이야말로 단단하고 아담하고

또근한 가정과는 인연이 없는 것이다. 왜냐하면 결혼을 한다는 것은 한 가정을 가지고 안주해

야 한다는 것이고 가정을 가진다는 것은 과연 이 사회, 이 관습, 이 상식, 어 타협, 이 단순한

감정, 이 단순한 사고를 받아들여야 한다는 것이기 때문이다.

하지만 문제는 이제부터다. 변덕장이는 자기가 변덕장이임에 만족하는 사람일까? 어쩌면 변

덕장이들이야말로 자기가 변덕장이임을 가장 싫어하는 사람들인지 모른다. 적어도 나의 경우는

그랬다. 소설을 못 쓰게 되도 좋으니까 나도, 내가 항상 존경하는 사람들, 일상생활을 검손히

받아들이고 있는, 사람들 속에 끼고 싶었다.

한편 이렇게 얘기할 수도 있다. 지나치게 변화만 쫓아다니다 보면 변화 차례에 무디어져버린

다. 그렇게 되면 변화를 즐길 수 있는 능력을 얻기 위해서 다시 어느 변화 없는 곳으로 기어들

게 마련이다. 그야 어떻든 그러한 나에게 지금 내 아내가 된 여자가 나타났다.

아아쭈, 결혼의 이력서를 펼쳐놓 작정이군 그래? 아냐, 아냐. 내 짝궁의 칭찬 좀 해보려구

그래? 그래? 그럼 어디 해봐. 그래 얘기할께. 나로 하여금 결혼을 결심하게 한 그 여자의 성

격에 대해서만 한마디.

그 여자는 거의 완전무결할 정도의 에고이스트다. 동시에 그 여자가 세상에서 가장 싫어하는

게 바로 변덕장이다. 그 여자는 상식 이상도 이하도 이해하려고 하지 않기로 아주 작정한 사

람 같다. 이 여자의 문학에 대한 오해는 무지막지할 정도다. 문학이란 건전한

사람을 펜히 병들게 하는 것이며 문학인이란 펜히 술이나 마시고 바바리코우트의 깃이나 세우고

다니는 사람들인 줄로 안다. 그러면서도 미(美)에 대한 추구는 굉장하다. 하지만 그것도, 예를

들어 자기를 닮은 여자가 아니면 아무도 미인이 아니다라고 생각할 정도로 독선적(獨善的)인 데

가 있다. 겉으로는 꽤 상냥하고 부드러운 것 같은데 차디찬 자기가 안에 도사리고 있다. 타인

은 항상 타인 이상도 이하도 아니다. 단순히 상식적인 여자가 아니라 철저히 너무나 철저히 상

식적인 걸 사랑하는 여자이다. 내 글재주로는 아무리 써도 그 여자의 오만불손을 설명할 수가

없다.

써놓고 보니 내 짝꿍의 칭찬이 아니라 흉을 보고 만 것 같은데, 문제는 얼마 되지 않은 내 인

생에서 내가 만나본 사람으로서는 가장 나를 당황하게 만든 사람이었다는 데 있다.

아무리 만나봐도 그 여자에게 있어서의 나는 항상 타인이었다. 타인치고는 약점을 빤히 알고

있어서 맘대로 조종할 수 있는 타인이었다고나 할까. 사정이 그쯤 되면 이쪽은 화가 나는 법이

기도 하다.

그런 사람을 본 적이 있는 분은 내가 지금 무슨 얘기를 지껄이고 있는지 이해할 것이다.

그런 여자를 알게 되면 아무리 심한 변덕장이라도 움직이지 않는 것의 군셈에 놀라게 된다.

그리고 때마침 그 변덕장이가 자기가 변덕장이임에 싫증이 났을 때 그런 여자를 알게 되면 그

여자에게 반하게 된다.

한편 그런 식의 여자를 상대하는 방법이라고는 다만 두 가지밖에 없는데 하나는 그 여자를 싹

무시해 버리는 것이고 다른 하나는 그 여자와 얼른 결혼해 버리는 것으로서 나의 경우엔 당연

히 뒤의 방법을 택하지 않으면 안되었던 것이다. 말하자면 나는 그 여자를 통하여 구제되기를

바랐다는 얘기다.

아닌게아니라, 결혼에 의하여 내가 어떤 상태로 구제되었을 경우에도 계속해서 소설을 쓸 수 있을 것인가 없을 것인가 하는 점은 나 자신도 솔직이 의심스럽다. 지금으로서 바라고 싶은 것은 이 결혼을 통하여 내가 인생의 진실한 국면에 들어섰으며, 그럼으로써 앞으로는 내 자신이 봐도 진실해 뵈는 소설을 쓸 수 있기를 기대하는 것뿐이다. 변덕장이가 쓴 소설이란 아무리 봐도 믿음직스럽지가 못하기 때문에말이다.

結婚式 寸評

결혼식날, 신랑대기실에서 흰 장갑을 꼈다뺐다하며 식이 시작되기를 기다리고 앉아 있는 나를 찾아준 어느 친구가, 『임마, 너도 남들처럼 평범하게 결혼식을 하리라고는 생각하지 않았는데……』하며 자못 가엾다는 투로 하는 말을 듣고, 그 자리에서는 씩 웃고 말았지만, 나중에 곰곰이 생각해 보니 화가 나서 못견디겠었다.

나와 내 짝궁이 광화문 지하도쯤에서 물구나무서기를 하여 결혼식을 가졌더라면 그 친구녀석은 만족했을지 모르겠는데, 아무리 결혼식이 남들에게 보이기 위한 어떤 형식으로서 마치 무대 위의 짧은 연극 같은 것이라 할지라도 왜 하필이면 나만은 피상한 결혼식을 보여주리라고 기대했었을까 생각하니 그 친구녀석의 말이 패씸하게 생각되었던 것이다.

하지만 좀더 후에 곰곰이 생각해 보니 그 친구가 한 말은 다만, 「평범하게 하리라고 생각하지 않았는데……」라는 것뿐으로, 예를 들면 부조금을 받지 않는다든지 또는 양쪽 가족들만 모여서

결혼식을 올리고 청첩장 대신 「아무개군과 아무개양이 몇월 며칠에 결혼하였으므로 알려드립니

다」라는 인쇄물이나 돌리고 말든지 또는 미국식으로、 결혼할 두 사람만 법원에 가서 속성으로

결혼식을 해치우든지 하는 따위의 좀 근대적인 형식을 택할 수도 있었겠지 않았느냐는 뜻의 진

보적인 권유였을 수도 있다는 생각이 들었다. 그렇다고 생각하니, 불편하고 시정해야 할 점도

없지 않은 세상 관습을 별로 검토해 보지 않고 그대로 받아들인 나를 용서해 달라고 그 친구에

게 빌고 싶었다.

그러나 우리 딴에는 꽤 머리를 써서 우리 분수 이상의 형식·절차는 되도록 생략하느라고 애

썼다. 우선 우리는 약혼식을 생략했다. 약혼식 대신 양쪽 집안 어른들이 모여서 저녁을 같이

하며 결혼식 준비에 관한 의논을 하였다.

결혼 예물도 그야말로 기념품 정도로 하였다. 내가 신부에게 드린 예물은 금반지와 금귀걸이

와 시계였고 신부가 나에게 준 예물은 시계와 카메라였다.

그런데 솔직이 털어놓자면、 「분수에 맞게느라는 말이 실은 은근히 처량스러운 말이라는 걸 이

번에 잠깐 느꼈다.

언젠가 아케이드에서 보석상점을 열고 있는 친구와 보석얘기를 하던 중에 그 친구가 『네가 혹

시 결혼할 때 신부한테 에메랄드를 선물했다는 애기가 들리면 난 그날부터 널 존경하겠어』라고

나를 슬쩍 건드린 적이 있었다.

『빌어먹을! 그놈의 에메랄드가 얼마나 귀하고 비싼 건지 몰라도、 기어코 그걸 사고 만다』

고 큰소릴 뻥뻥 쳤고 아닌게아니라 나한테 시집오는 여자에겐 그것쯤은 해줄 수 있어야 할 텐데

하고 별렀던 바지만…… 「분수에 맞게, 분수에 맞게」 하고 말았다. 처량한 느낌이 약간.

『나중에 해주시면 되잖아요?』하는 적궁의 위로는 더욱 나를 처량하게 만든다.

얘기가 엉뚱하게도 내 허영심 쪽으로 빗나갔었나 보다. 그러나 사람들에게는 남에게 권하고

는 싶으면서도 자기 자신은 그걸 행할 자신이 없는 생각이 있는 법이다. 이번 나의 결혼식은

그 중간에서 고민한 결과로 나타난 어떤 형식이었다고나 할까, 말하자면 아주 근대적인 결혼식

도 아니었고 그렇다고 재래식으로 갖출 것은 모두 갖춘 결혼식도 아니었다.

앞으로 결혼하실 분들은 정말 평범한 결혼식을 하시지 말기 바란다. 예를 들면, 앞에서 얘기

했듯이, 자기 집에 아담한 정원이 있는 분은 그곳에서, 그렇지 못한 분은 조용한 공원의 한 귀

퉁이를 빌어 양쪽 가족과 친척 몇분만 모여 간단히 식을 울리고 나머지 사람들에게는 「결혼했

읍니다」는 통지서나 보내는 정도로 하는 게 어떨까? 그리고 결혼예물도 여자에게는 금반지 남

자에게는 시계 정도로 한다. 사실은 내가 공상했던 나의 결혼식은 그런 것이었던 것이다.

新婚生活의 問題點

요즘 내가 가장 골치를 앓는 것은 내 신부가 밤만 되면 울먹울먹한다는 것이다. 눈에 눈물이

글썽글썽해지기 시작하면 나는 재빨리 머리 속에서 내 신부를 웃길 말이나 뭔가 재미있는 얘기

를 준비해야 한다.

내 신부는 세상에 태어난 후로 한번도 자기 집 아닌 집에서 자본 적이 없고, 성격 자체가 자

가가 모르는 곳, 또는 가보지 않은 곳은 아예 가보고 싶어하지 않는 여자다. 소위 연애기간 동안에도 명색이 아베크라고 하여 다닌 코스가 4년 동안 빤했다. 을지로 입구에서 출발하여 명동을 한 바퀴 돌고, 반도호텔 앞을 지나 무교동으로 들어서서 무교동의 광화문 쪽 입구에 있는 다방에서 차 한 잔씩 마시고 집으로. 이것이 4년 동안 거의 매일 되풀이되었고. 그런데 그 외의 길을 아가씨는 죽어도 안 가겠다는 것이었으니 돌이켜보면 내 인내심도 어지간하다. 어렸을 때부터 서울서 살아온 여자가 지금으로부터 2년 전에 내가 가르쳐줘서 처음으로 서울역이 어디 붙어 있는지 알았으니 그 정도면 얼마나 변화를 무서워하고 미지의 사물에 대한 동경심이 없는 즉 얼마나 멋이 없는 여자인가 짐작할 수 있으리라.

그런 체질인 신부는 밤만 되면, 마치 어린애처럼 자기 집에 가고 싶어 눈물이 글썽거려지는 것이다. 이러다가 무슨 병이나 나지 않을는지, 나의 요즘 가장 큰 고민은 이것이다. 이 글을 읽으시는 분들 중에서 좋은 충고를 해주실 수 있는 분은 제발 좀 빨리 해주셨으면 고맙겠다.

新婚日記

11월 19일

1시 정각 예정이던 식이 15분쯤 늦게 시작되다.

식이 진행되는 동안 떨리지는 않는데 쑥스러워 자꾸 웃음이 나오려는 걸 굳세게 참으려니 필요 이상으로 얼굴이 굳어진다. 결혼식해 보니 꽃을 든 신부의 손이 와들와들거리고 있다.

그래 그래 떨어라, 오늘 안 떨면 언제 떨리.

양측 가족과 친지들만 모여 한일관에서 간단한 피로연을 갖다. 그 자리에서 옆의 작은 방 하나를 빌어 폐백(弊帛)을 올리다. 신부의 큰절하는 속도가 왜 그리 느린지, 첨 봤다. 여자가 한복(韓服)을 입고 큰절을 하는 자태가 그렇게 아름다운 줄도 처음 알았다.

피로연에서 너무 늑장을 부리고 앉아 있다가 보니 비행기 시간이 한 시간밖에 안 남아 사람들에게 인사도 제대로 못하고 부랴부랴 김포로 향하다.

자식들 문제에 들어서면 남의 눈치건 뭐건 가릴 것 없이 극성스럽기로는 유난하시다는 점에

84

서 두 분이 퍽 닮은 어머님과 장모님께서 흐린 날씨를 걱정하시며 공항까지 우리를 바래다 주시다.

나쁜 기류에 몹시 흔들리며 비행기 속에 앉아 있으려니 오늘 우리의 결혼식장에 나와주신 여러분들에 대한 고마움이 새삼스럽게 가슴을 채우다.

꼭 와주리라 기대했는데 오지 않은은 몇 분이여, 이유야 어떻든 지옥으로 가소서.

7시에 부산 수영 비행장에 내리다. 비가 꽤 억세게 내리고 있고 캄캄한 밤이고 택시가 없다.

한 시간 이상 동안 와보는 쓸쓸한 대합실에서 택시 나타나기를 기다리고 있으려니 문득, 이제부터 두 사람의 힘으로 살아가야 하는 것이로구나 하는 느낌이 절실해졌다. 비오고 어둡고 우리를 데리고 갈 아무것도 없는 세상을말이다.

기다리다 못해 남의 자가용을 세내어 해운대(海雲臺)로 가서 예약해둔 극동호텔 6 0 3호실에 트렁크를 풀다.

신랑 신부, 배가 고파 죽을 지경이다.

4 백원짜리 비싼 한정식을 먹고 나자마자, 신부로부터 결혼예물로 받은 카메라를 시험해 보고 싶은 생각이 간절하여, 그리고 신부화장이 지워지기 전에 사진을 찍어두고 싶어서, 이 옷 입어라, 저 옷 입어라, 계단에서 찍자, 베란다에서 찍자, 핀트를 맞추고 있으니 머리 좀 움직이지마, 하는 식으로 웨이터들 외에는 아무도 잘 나타나지 않는 조용한 호텔 안을 새벽 2시까지 오르락내리락 왔다갔다하며 설쳤다. 우리 같은 신혼 부부는 첨 보는지 6층 담당의 김씨라는 웨이터는 우스워 죽겠다는 눈치다.

그러나, 혜욱이도 그런 모양이지만 나 역시, 마치 누가 엿보고 있기라도 하듯이, 호텔 방문을 안으로 잠그고 들어앉아 있다는 것에 야릇한 부끄러움을 느끼고 있는 것 같았다. 그래서 꽤히 떠들어대며 카메라를 들고 붉은 카아펫이 깔린 조용한 복도를 이리 뛰고, 저리 뛰고 한 것 같은데 지금 생각하니 그게 오히려 희극이었던 것 같다.

결혼식을 치르고 이 글을 쓰는 지금까지 만 76시간 55분이 지났는데도 여전히 나는 표령의 착각인 듯한 느낌에 빠져 있으니, 만일 이 느낌이 일생 동안 계속된다면 참말 야단이 아닐 수

11월 22일

86

없다。

내 신부 역시 이젠 한 시켜먼 사내의 아내라는 사실이 별로 실감되지 않는 모양이다。
하기야 결혼식 준비를 겨우 일주일 전부터 시작하여 그나마 청첩장 인쇄하는 일부터 신혼여
행 비행기표 끊는 일까지 둘이서 모두 하다시피 했으니 내 신부의 말을 빌어 「너무너무 피곤하
여」 뭐 신랑이니 신부니 하는 기분을 즐길 기운이 없다고 과히 이상스럽지는 않으리라。 첫날
밤엔 어떤 신랑이건 자기 신부에게 한다는 말, 즉 「피로하지?」 하는 말조차 못할 정도로 피곤
했고 다만 두번 세번씩 결혼한 남자들의 정력에 고개가 갸우뚱거려질 뿐이었다。 지금 우리는
밀월 중에 있지만 머리를 가득 채우는 건 갈현동에 얻어놓은 셋방에 부엌이 없다는 새삼스러운
사실과, 모지의 연재소설을 마감날까지 써낼 수 있을까, 하는 따위의 즐거운 것과는 좀 인연이
먼 생각들뿐이다。 신부의 걱정은 첫째 내가 늦잠보라는 사실, 둘째 내 다리를 닮은 아이를 가
지게 될 경우를 든다。 아닌게아니라 내 다리가 좀 못생기기는 했다。
신부의 첫째 걱정에 대한 대책으로서 나는 결혼식 전날 늦잠을 자지 않겠다는 서약서를 쓰고
도장을 찍어야 했다。
다행히 서약서 따위의 문서 작성에 어두운 아가씨인 덕택에 만일 내가 서약을 어겼을 경우엔
어떻게 한다는 조항이 없으므로 세상에서 내가 내 신부 다음으로 좋아하는 늦잠을 버리지 않아
도 좋게 될는지 어떨지…… 둘째 걱정에 대해서는 나로서는 정말 자신이 없고 믿을 건 멘델 선
생뿐이라고 신부에게 분명히 못을 박았다。
그럭저럭 내 신부의 걱정은 해결됐지만, 이젠 나의 걱정이 남았다。 내 걱정이란 정말 예상하

지 않았던 것이기 때문에 더욱 가슴 무겁게 느껴진다. 그 걱정거리를 발견한 것은 이번 신혼여행에서인데 다름아니라 남편은 아내를 무작정 기다리고 있어야 한다는 사실이다. 화장이 끝날 때까지, 미장원에서 나오기를, 또는 밥상이 다 차려지기를, 옷을 빨아주기를, 그리고…… 앞으로 살아가야 할 많은 날을, 아내를 기다리는 데 바쳐야 한다니, 아니 아니 신부여, 그걸 즐거움으로 알겠다는데도 꼬집고 마는군 그래.

어제. 오후 2시에 버스로 마산(馬山)을 출발하여 7시에 순천(順天)에 도착.

11월 24일

오는 도동 경전선(慶全線)의 철로 공사가 한창인 것을 보니 어렸을 때 기차로 순천에서 부산까지 갈 수 있었으면 하는 것이 내 꿈들 중의 하나였던 게 생각나서 기뻤다.

신혼여행은 어저께로 끝난 기분이다.

아직도 여행 중임에는 틀림없지만 적어도 신혼여행 중의 그 독특한 기분이 고향에 오니까 싹 가셔버린다.

「신혼여행 중의 독특한 기분」을 글로 표현하려면 상당한 시간과 노력이 필요할 것 같다.

사람들은 흔히 꿀맛이란 애매하고, 간단하고, 놀림조로 말하지만 그러나 그것은 아무래도 맛의 일종 같지는 않고, 글쎄, 글쎄, 뭐라고 표현해야 할까.

요컨대 무언가 구상하고 있을 때의 그 탁 트인 즐거움이 신혼여행 중에 있었다 하면, 고향에는 무언가 실행하지 않으면 안되는 피로움이 있는 것 같다고나 할까. 친척들이 우리 부부의 허영과 낭비를 용서하지 않고 우리 부부가 이행해야 할 의무만을 강조해 들려주기 때문일까.

그렇지만 한편 내 결혼을 충심으로 대견히 여겨주고 기뻐해 주는 사람들은 고향에 많다는 사실을 알게 되었다.

나를 어렸을 때부터 알아온 사람들이야말로, 내가 어떤 마음씨의 여자를 아내로 맞았는가, 어떻게 생긴 색시인가, 이 애들이 또 아이를 낳겠지, 우리와 같은 고향을 가지게 되는 아이들을 말야, 하고 생각하는 사람들인 것 같다. 특히 서울에서 태어나 서울에서만 자라서 한번도 먼 여행을 해본 적이 없는 것으로 믿어지는 순전한 서울 색시 혜욱이는 시골사람들만 할 수 있는 정에 넘친 대접을 생후(生後) 처음으로 받아보고는 자못 감격한 모양이다.

혜욱이가 내 고향을 사랑하게 된 것이 당연할지 모르나, 나로선 무척 기쁘다.

서울에서 살아가는 동안 서울식으로 다소 신경질인 혜욱이가 정신적으로 피곤하여 혹시 신경질을 부리는 경우가 생기면 고향엘 메리고 와야겠다.

혜욱이와 난 살림 도구를 사러 동대문 시장엘 가다.

대학시절, 자취할 때 가끔 반찬을 사러 시장 일우의 반찬가게엔 몇번 가본 적이 있었지만 정식 살림살이 도구들을 파는 데는 나로서는 처음이다.

11월 30일

90

물건 값을 에누리하려고 둘이서 있는 재주 없는 재주를 다해 보았으나 달라는 값에서 별로 많

이 깎지는 못하고 말았다.

덜렁거리는 물건 꾸러미들을 한 아름 들고 혜욱이 뒤를 부지런히 쫓아다니려니, 「제기랄 이게

남편이야?」 하는 생각이 든다.

그러나 집에 돌아와 찬장에 사가지고 온 예쁜 술잔 등을 진열하고 있으려니 참 재미난다. 살

림이란 별게 아니라 돈이 많이 드는 소꿉장난일까?

그 동안 김장을 해주고 가시겠다고 함께 계시던 어머니께서 오늘 시골로 가시다.

미리부터 걱정하고 있었던 대로 어머니는 나와의 사이가 퍽 멀어진 듯한 느낌을 떨쳐버릴 수 없으신 모양이다. 아니 설마 멀어졌다고는 생각하시지 않겠지만 어쨌든 나를 어린아이로서 대할 수 없게 된 점 때문에 섭섭하신 모양이다. 『늦잠보를 네 마누라한테 인계하고 나니 시원하다』고 우스개 말씀을 하시지만.

자라서 장가가는 아들이 기쁘면서도 떠나는 아들은 언짢은 것이 모든 어머니들의 마음인 것 같다.

12월 4일

혜욱이가 본격적으로 주부 티를 내기 시작한다. 대강만 정리해 두었던 살림살이를 새벽잠도 안 자고 3시까지 털고 닦고 한다. 야아, 나머진 내일 하고 그만 자자, 야.

아장아장 아기가 달려왔다

처음으로 「내 자식」을 가졌다.

주위에서들은 결혼한 지 3년이 넘도록 왜 아이가 없느냐, 혹시 어느 한쪽이 병신인 거 아니냐고들 성화였고, 처음엔 나의 「후세무용론(後世無用論)」에 전적으로 동조하는 것 같던 아내가 차츰 나의 개똥철학을 철회해 주었으면 하는 눈치를 보이다가 급기야는, 「아이를 낳지 못하게 하면 함께 살 수 없다」는 식으로 강경하게 나오는 바람에, 할 수 없이 작년 여름 어느 날 밤 애용하던 도구를 철수시켰다. 그리고 나서 얼마 후 아내의 짜증을 듣게 되자 나는 허공의 한 구석에서 쇼펜하우어 선생이, 「그것 봐, 걸려들었지? 너라고 별수 있니!」하는 소리가 들려오는 것 같아 뒤통수를 긁적대고 있었던 것이다.

실은 「아이를 갖지 말자」는 나의 주장이 뭐 굉장히 차원 높은 이론을 거느리고 있었던 건 아니다. 그렇다고 「먹여살릴 자신이 없어서」라는 농담이 나의 주장의 이론이었던 것은 물론 아니다.

오히려 비슷한 또래끼리 모인 자리에서 「아이를 낳느냐、 마느냐、 많이 낳을 것이냐、 적게 낳

을 것이냐는 화제가 나오면、 『낳아야지、 아이를 낳지 않겠다는 사고방식은 문명말기증상(文

明末期症狀) 중의 하나이다. 아이를 가진다는 것 자체가 문명말기를 극복하는 원동력이 될 수

있을 것이다. 산아제한과 아이를 가지지 않겠다는 것은 전연 다른 얘기다. 어쩌면 산아제한이

란 것도 어떤 각도에서 생각하면 이 말기문명 속에서 현상유지나 하자는 소극적인 태도의 하

나에 불과한지도 모른다. 중국 대륙에서도 어젠 산아제한이 고창(高唱)되고 있다 하지만、 내가

들은 얘기로、 춘원(春園) 선생어 상해(上海)에서 어느 중국의 서민한테서 들었다는 얘기가 음미

해 볼 만한 것이라고 생각한다」고 주장하던 나였다.

고 한다.

춘원 선생이 어느 무식한 중국의 서민으로부터 듣고 감탄했다는 얘기란 대강 이런 것이었다

『외국에까지 나와서 독립운동한다고 왜 이런 고생이오? 고향으로 돌아가서 아이를 많이 낳

으시오. 그게 바로 가장 효과적인 독립운동이오.』

물론 지도자의 독립운동 방식과 서민의 방식에는 큰 차이가 있다는 것을 그 중국인은 몰랐겠

지만、 아이를 낳는 것을 서민의 독립운동 방식으로서 의식하고 있었다는 것은 그러지 못한 사

탐들과 큰 차이가 있는 것이다.

어떻든 헛바닥 주장으로는 그렇게 말하면서도 그 주장을 내 자신에게 적용시키는 데는 몹시

망설이면 나였다.

내 아내가 「개똥철학」이라고 부르고、 내 자신은 강박관념이라고 여기고 싶은 생각이 하나 있

었다.

수많은 시간의 체가 흔들리는 동안 특히 파란 많았던 우리나라에서는 진취적인 용기와 정렬을
가졌던 사람들은 씨도 못 남기고 걸음질당해 버리고 핏줄 속에 악덕(惡德)을 유지시킨 자들의
자손만이 살아남은 게 아닐까? 나 역시 그렇게 이어진 생명체가 아닐까? 걸음질당한 아름다
왔던 사람들을 기리는 표시로서는 물론 가장 적극적으로는 그분들의 흉내라도 내는 것이지만,
살아남은 더러운 자의 후손답게 그 흉내도 못낸다면……그러니 이따위 생명체를 더 이상 연장
시키지 않는 게 그나마 최소한의 표시가 되는 게 아닐까?

대강 그런 생각이 내가 아이를 갖지 않으려던 이유들 중의 큰 하나였다.

지난 5월 어느 날 밤, 병원의 산실(産室) 밖 벤치에서 나를 지배하고 있던 불안감에는 물론,
지금 저 안에서 비명을 지르고 있는 아내가 무사히 아이를 낳을 것이냐, 아이는 어디 병신인
건 아닐까라는 따위의 걱정이 크게 차지하고 있었지만 앞에서 말한 죄악감도 상당한 양이 섞여
있었던 것이다.

그런데 간호원들이 목욕을 시키기 위해서 밀고 나오는 작은 수레 위에 누워서 천정의 형광
불빛을 향해 눈동자를 굴리고 있는, 내 얼굴의 특징을 닮은, 이마에 피가 묻어 있는 내 아이와
첫대면을 하자마자 나의 내부로 밀려드는, 나로서는 지극히 낯선 감둥이 이전에 나를 지배하던
불안감과 죄악감을 휩쓸어 밀어내 버리는 것을 느꼈다.

우주선(宇宙船)이 달을 향하여 가고 있는 TV 중계방송을 보고 난 후 잠자리에 들어서도
지금도 그들은 외롭게 갇힌 채 공포로 가득찬 어두운 허공을 믿을 수 없이 빠른 속도로 달리고

있겠구나고 생각하며 느끼던 감동도、 달보다도 수억억 배나 더 먼 우주의 저 끝으로부터 신비

와 공포의 암흑 속을 혼자서 아장아장 달려 이제 막 여기에 도착한 아이를 보는 순간의 감동에

비하면 정말 아무것도 아니었다。

나 같은 자를 믿고 저 까마득한 곳으로부터 험난한 어둠 속을 달려 네가 여기까지 왔구나!

며칠 후엔 퇴원하여 아이가 이 세상에서 맨 처음으로 살게 될 방을 단장하기 위하여 집으로 가

면서 나는 그런 감동에 싸여 있었다。

그런 느낌에 싸여 있는 나의 눈에는 얼마 전까지만 하더라도 추악한 죄인들 같이만 보이던

행인들을 하나하나가、 내 아이처럼 장하게 혼자서 여기까지 달려온 사람들이라는 각성으로써、 아

름다와 보였고 나 자신마저도 그래 보였다。

그러나、 아니 그러기 때문에、 집을 향해 밤길을 가고 있는 동안 나는 아이를 맞이하기 위해

서 우리가 마련해 놓은 것의 초라함을 뼈저리게 느끼기 시작했다。

우리의 집、 우리의 방도 그 사랑스러운 아이를 맞아들이기에는 너무나 초라하다고 생각되었

다。 아이가 가지고 놀 장난감、 아이가 볼 그림책、 아이가 앉아서 공부할 의자、 아이가 다닐 학

교、 아이를 가르칠 선생님、 아이가 건너갈 한길、 아이가 놀 공원、 아이가 치료받을 병원、 아이

가 드나들 관청、 아이를 보호해 줄 제도와 법、 아이가 즐길 풍속、 아이가 살아갈 조국、 아이가

생명을 걸고 지켜야 할 가치……

우리들의 아이가 도착하기를 기다리고 있는 것은 수없이 많지만 아이가 우리에게 보내는 완

전한 믿음에 비하면 우리가 아이들을 위해 마련해 둔 것들은 얼마나 불완전하고 불품없는 것인

가! 그 초라한 것들 중에는 우리의 문학도 끼여 있다. 이제부터라도 나는 아이에게 초라한 문학을 내밀지 말아야 하겠다.

97 아장아장 아기가 달려왔다

나의 첫 創作

色彩와 나

싫을 때는 싫다고 하라

받을 줄도 모른다

나의 첫 創作

『서울에 가 본 사람 있냐?』

아무도 아직 서울에 못 가봤단다.

『서울에 가면, 굉장히 높은 탑이 있어. 그 탑은 이 세상에서 제일 높아서 하늘에 닿아 있어. 그 탑 꼭대기에는 작은 방이 있는데 남자와 여자가 발가벗고 꼭 껴안고 있어. 밥도 안 먹고 밤에나 낮에나 항상 껴안고 있어. 사람들이 많이 가서 구경해. 나도 구경했어.』

이것은 내가 내 최초의 창작을 기억해 내보라는 잡지사의 하명(下命)을 받고 문득 기억해 낸 얘기이다.

아마 내가 만으로 여섯 살 때쯤이었다. 당시 나는 순천(順天)에 살고 있었는데 우리집 근처에 빈집이 있었다. 내 또래 애들이 그 집에 모여서 놀곤 했는데、바로 그 집의 어두컴컴한 방에서 내 첫 창작품이 발표되었던 것이다.

가보지 않은 서울에 가봤다고 거짓말한 것에 슬그머니 가슴이 두근거리던 기억도 난다. 아마

나는 서울이란 이상한 일이 얼마든지 있는 곳이란 믿음을 가지고 있었던 것 같다. 그후로도 내가 친구들에게 이상한 일을 얘기할 때는 「이건 서울에서 일어난 얘기다」라고 했으니까.

그런데 왜 하필 내 첫 창작품은 그런 얘기였을까? 서울, 높은 탑, 탑 꼭대기의 작은 방, 사람들이 구경해도 껴안은 채 떨어질 줄 모르는 발가벗은 남녀……아마 정신분석의(精神分析醫) 한테 분석을 받아 보면 뭔가 그럴 듯한 얘기를 들을 수도 있으리라.

그 무렵을 돌이켜보며 지금 나 스스로 그 창작의 동기를 분석해 보면 아마 내 의사촌 형과 그의 친구들 영향 때문이 아닌가 싶다. 당시 내 의사촌형은 국민학교 4학년이었는데 그의 친구들과 모여서 얘기하며 노는 자리에 나는 곧잘 끼어앉아서 그들의 얘기를 듣곤 했다. 그들의 얘기는 거의 항상 같은 학년의 여자애들 얘기이거나, 지금 생각하면 괴상한 음담패설이거나였다. 그때 들은 그 얘기를 지금까지도 내가 기억하고 있는 걸 보면 그 얘기의 충격이 내게는 몹시 컸던 모양이다.

말하자면 내 첫 창작은 형들의 얘기를 모방한 것이 아니었을까?

실제로 예술창작 역시 처음엔 남의 작품을 모방하는 데서 시작된다는 걸 고려하면 어린이들의 상상력 계발(啓發)에 어른들의 역할이 이만저만 크지 않은 것 같다.

色彩와 나

국민학교에도 들어가기 전이니까 예닐곱 살 때 우리집에 빨레드와 수채화용(水彩畵用) 붓이 몇 개 굴러다니고 있었다. 지금 생각하면 아마 어머니나 아버지가 학생시절에 쓰던 것이었던 모양이다. 빨레드에는 수채화물감이 딱딱하게 굳어 붙어 있었던 물감으로 엎드려서 그림을 그리곤 하였다. 지금도 생생하게 기억나지만, 그림은 항상 한가지였다. 처마 밑에 붕어모양의 풍경(風磬)이 매달려 있고 아치형(쬔)의 문이 있고 계단이 있는 집 한 채였다. 그 무렵 나는 어른들이 저녁식사 후 노래를 시키면 『성불사 깊은 밤에 그윽한 풍경 소리를 부르곤 했는데 그 그림을 그려놓고 어른들에게 보이며 『이것이 성불사다』고 하곤 했다. 실제로 그 그림을 그리는 동안 나는 짤랑거리는 풍경소리, 솔바람소리 등을 듣는 것 같곤 했다. 그림은 어두운 색채들로 그렸다. 굳어버린 물감을 물붓으로 마구 문질러 겨우 색채를 얻어내는 것이었고 이 색 저 색 아무렇게나 뒤섞었으니 혼탁한 색깔일 것은 뻔했다. 그러나 「깊은 밤의 성불사」를 그리기에는 안성마춤이었다. 아니 그렇게 혼탁한 색깔밖에 쓸 줄 몰랐기에 그 어둡게

그려진 그림을 놓고 「성냥사」같은 밤이라고 밝다맞췄던 것 같다. 어떻든 그 나이의 나에게서 물감이 나타내는 색채의 세계란 어둠을 표현하기에나 적당한 것이었다. 밝고 맑은 갖가지 풍부한 색채는 햇빛에 드러난 현실의 모든 사물들에만 충만해 있었다. 나중에 국민학교에 들어가서 크레용을 처음으로 샀을 때 나는 그 열두 가지로 확실하게 구별되어 있고 서로 섞이어 혼탁한 색깔이 되어버리지 않는 물감이 몹시 신기했다.

요즘 동네에서 화판(畫板)과 크레파스를 든 어린이들이 미술학원에 오가는 모습을 보면 나는 문득 「성냥사」를 그리던 내 모습과 물감에 의한 색채의 세계에 대하여 그 무렵 내가 느끼고 있던 것들이 파편으로나마 기억나곤 한다.

104

내가 그림을 정식으로 배우기 시작한 것은 국민학교 4학년 때부터였다. 「정식으로」란 말이

우습지만 어쨌든 석고데상이니 보색(補色)、색의 명도(明度)、심지어 인상파(印象派)의 이론

따위까지 나한테 가르치는 선생님을 만났던 것이다.

신경청(申敬淸) 선생님 그분인데 당시의 정확한 연세는 모르겠으나 어린 나한테는 할아버

지처럼 보이는 분이었다. 제주도(濟州道) 분인데 일본에서 미술대학을 나오셨고 나중에 안 사

실이지만 사상(思想) 관계로 제주도에서 살 수 없어 친구인 우리 학교 교장선생님께 와서 의탁

하고 계시는 분이었다. 다른 선생님들처럼 매일 학교에 출근은 하시는 일은

학교 복도에 붙이는 교육용 차트나 그리고 학생을 미술대회나 주관(主管)하시고 다른 선생님들

께 미술지도나 하시는 것이었다. 그리고도 많이 남는 시간엔 화구(畫具)를 들고 학교 부근의

들이나 산으로 다니며 풍경화를 그리시곤 하였는데 말하자면 나는 그 선생님께 선택되어 신선

(神仙) 옆에 붙어다니는 동자(童子)처럼 항상 붙어다니며 그림을 배우게 된 것이었다. 담임선

생님도 내가 화판을 들고 슬그머니 교실 뒷문으로 나가면 으례 신(申)선생님하고 그림 그리러

야외로 나가는 줄 알아주시곤 하였다.

야외로 나가면 그 분은 이젤을 세워 놓고 유화(油畫)를 그리시고 나는 그분이 잡아준 구도

의 풍경을 수채로 그리는 것이었다. 웃으시면 주름투성이가 되는 긴 얼굴、큰 키、큰 손발、유도

가 3단이라는 그분이 어린애처럼 콧물이 입술까지 흘러내린 채 담배물 문 입으로 「눈을 가늘

게 뜨고 봐라」『저 초가지붕 색을 내려면 이 색하고 이 색하고 섞어봐라』、『검은 색하고 흰색

은 써선 안된다。색을 만들어 써라」、『붓에 물을 듬뿍 찍어라』 등등 가르쳐주시던 모습이 지금

도 눈에 선하다. 어느 때는 황토언덕의 그 얼핏 박서는 주황색 하나뿐인 듯하나 자세히 보면

자주색·갈색·보라색·붉은색 등등 갖가지 색채로 이루어진 풍경을 앞에 놓고 그 색채들을 제

대로 켄트지(紙) 위에 나타내는 데 하루를 몽땅 바쳐버리기도 하였다.

내가 물감이 나타내는 색채의 세계로 들어간 것은 이 무렵부터였다. 현실의 모든 색채는 붓

끝에서 물감에 의하여 발가벗겨지고 분해되고 재구성되었으며 그렇게 하여 이루어진 색채의 세

계——그림은 이미 다른 현실, 현실보다 더 아름다운, 경이(驚異)의 다른 세계였다. 그리하여

이제 마악 튜브에서 짜낸 연두색의 수채화물감의 그 영롱한 색채만 있으면 나는 한겨울에도 봄

의 그 산뜻한 숲과 훈훈한 바람을 느꼈고 그늘진 흙담의 좁은 골목도 내 의식(意識)엔 개선되

어야 할 불쌍한 빈민가(貧民街)의 골목으로서가 아니라 켄트지 위에 옮겨놓고 싶은 한 폭의 아

름다움으로 분해되는 것이었다.

그렇다. 색채의 아름다움에 눈이 길들여진 사람들은 알리라. 이제 막 페인트칠을 끝낸 깨끗

하고 질서정연하고 살기 편리해 보이는 고급 주택가에서보다도 녹슨 함석지붕이 너덜대고 얼룩

덜룩한 판자벽 군데군데 지저분한 물웅덩이가 패어 있고 집들이 제멋대로 들숭날숭, 갖가지

빨래들이 널려 있는 빈민가의 풍경 속에서 나는 더 아름다움을 느끼는 것이다. 전동차(電動車)

가 달리는 깨끗한 지하철에서보다 잡초가 우거지고 녹슨 레일이 무늘무늘 버려져 있고 검은 침

목(枕木)더미가 쌓여 있는 황폐한 페역(廢驛)에서 더 아름다운 세계를 만나 감동하는 것이다.

이상한 일이다. 부패와 무질서 속에서 색채들은 더 풍요하고, 색채가 펼치는 깊은 감동의 세

계를 알아보는 눈을 가진 자에게는 단조로운 질서가 오히려 추악해 보인다는 것은 참으로 이상

한 일이다.

나는 때때로 내가 남들의 눈에는 아무렇지 않거나 역겨워 보이는 풍경에서도 아름답게 분해되어 재구성되는 경이적인 풍경을 볼 수 있는 풍요한 삶을 얻은 대신 사회인으로서 도덕적인 분노의 능력은 마비되는 것이 아닌가 스스로 염려한다. 미(美)의 세계를 얻은 대신 도덕(道德)의 세계를 잃었다면 결코 풍요한 삶은 아닐 것이기에.

싫을 때는 싫다고 하라

금년 봄에도 수많은 젊은이들이 전국 각 지방에서 서울이나 부산 등 대도시지로 몰려들 것이다. 대부분이 진학(進學)이나 취직을 위해서일 것은 말할 것도 없다. 내 경험에 비춰볼 때 그들이 대도회 생활을 시작하면서 겪게 될 가장 큰 어려움은 습성(習性)과 사고방식의 차이라는 문화적 차이 때문일 것이다. 라디오나 텔레비전 수상기의 전국적인 보급으로 서울과 지방 사이의 문화적인 격차가 많이 줄었다고는 하지만 한 인간의 습성과 사고방식 형성에 작용하는 데 도시와 지방과의 문화적 차이는 아직도 크다. 나 역시 이젠 서울생활의 기간이 지방에서 자란 기간보다 더 길어졌는데도 여전히 지방적인 사고방식 때문에 서울생활에서의 실패투성이이다.

서울생활을 실패로 만드는 나의 지방인적 사고방식의 대표적인 것은 「대답이 분명하지 않은 것」이다. 특히 「싫다」거나 「못하겠다」는 거절의 대답을 「야박한 것 같아서」 못하는 것이다. 야박한 것 같아서 싫다고는 못했지만 사실은 싫은 것이니까 마지못해 끌려가다 보면 일이 제대로

별 리가 없고、 나중에는 그 일로부터 벗어나기 위해서 아예 「싫다」는 대답을 했던 것만도 못한 끔찍한 일을 저질러버리기 십상인 것이다.

1960년 3월、 스무 살 때 나는 대학교에 입학하게 되어 학교 근처에 자취방을 구하려 다녔다。 그러나 워낙 지방학생들이 많이 몰려든 때고、 주택사정도 오늘날과는 비할 수 없이 좋지 않은 때여서 학교가 있는 동숭동 바로 근처에서는 도저히 방을 구할 수 없었다。

수많은 복덕방을 들락거린 끝에 겨우 내 예산과 맞는 6만환짜리 방을 구한 것은 돈암동 전차종점 부근의 낡고 비좁은 한옥 구석방이었다。 영영 방을 못 구할 것 같아서 애가 타 있던 중이라서 나는 주인할머니가 방문을 잠깐 열어보이는 방안을 흘긋 들여다보기만 하고 나서、 창문이 없어 대낮에도 전등을 켜야만 할 만큼 캄캄한 것이 마음에 걸렸지만 「어디 고향집과 같겠느냐、 이나마도 놓치면 안된다」고 자신을 달래며 얼른 할머니 손에 방값을 전부 쥐어주고 짐을 가지러 나왔다。 그런데 선배의 하숙방에 맡겨두었던 내 책상이니 책 상자니 이불보따리 등적지 않은 짐을 리어카에 실려가지고 내 셋을생활이 시작될 그 방으로 돌아와 불을 켜보니、 아이를 어쩌랴、 습기가 찰 대로 차서 축축한 장판 가득히 곰팡이가 파랗게 피어 있고、 천정은 빗물과 쥐오줌으로 얼룩이 져 축 늘어져 있고、 구멍이 뻥뻥 뚫려 있는 게 아닌가! 장판 모서리들도 다 들떠 있어서 연탄만 때는 날엔 난 그대로 저승으로 가고 말 것 같았다。 「어디 고향집과 같겠는가!」 또 한번 억지로 자신을 달래며 걸레질을 시작했으나 곰팡이는 벗겨질 줄 모르고 그 퀴퀴한 냄새 때문에 나는 구역질을 참을 수 없었다。 「이건 방이 아니다。 시골 우리집의 돼지우리도 이보다는 밝고 깨끗하다。」 나는 걸레질도 그만둬 버리고 아직 풀지 않은 집보퉁이에 가대어 너무 외롭고 슬퍼서 멍하니 앉아 있었다. 방이란 것도 사람 비슷해서 한번 정나미가 떨어지면 도저히 참을 수가 없는 모양이다.

「구하러 다니면 어딘가 이보다는 나은 방이 있겠지.」어느 틈에 나는 그런 생각을 하고 있었다. 다시 선배 하숙방으로 짐을 옮겨놓고 며칠이 걸리더라도 그리고 버스를 타고 다녀야 할 만큼 학교에서 멀더라도 이보다는 나은 방으로 옮겨야겠다고 결심은 했지만 막상 주인할머니에게 「이 방이 싫어서 나가겠으니 방값을 돌려주세요」라고 말할 용기는 도저히 나지 않았다. 방값을 받으며 기뻐하던 할머니의 표정이 생생하게 떠올랐기 때문이었다. 「야박하게 어떻게 이 방이 싫으니까 나가겠다고 해? 다른 방을 구했다고 할까? 그래도 한번 방은 돈을 돌려주려면 할머니 속은 얼마나 아플까! 내가 참고 말지. 아이구, 하지만 이 곰팡이 냄새……」

그런 생각을 되씹고 있다가 문득 나는 할머니가 하던 말이 생각났다. 「학생, 담배 피우나?」

「아니오.」사실 나는 아직 담배 피울 줄 모를 때였다. 「담배 피우는 사람한텐 방 안 줘. 담뱃불 때문에 집을 두 번씩이나 불태워 버린 일이 있거든.」나는 뛰쳐나가서 담배와 성냥을 사가지고 돌아와서 피울 줄도 모르는 담배를 캑캑거리며 계속해서 피워댔다. 그러면서 불도 끄지 않은 [담배를] 볼 수 있도록 방문 밖 마당으로 자꾸 던졌다. 나는 담배 피울 줄 모른다고 할머니에게 거짓말 한 나쁜 젊은이로서 할머니한테 쫓겨날 작정을 한 것이었다.

그 결과는 당장 성공적이었다.

「방값을 몇 십만 환을 준대도 자네 같은 사람은 둘 수 없어. 어서 나가.」

지금 돌이켜보면 참으로 부끄러운 기억이다. 그 할머니께 자기 집 방이 거부당했다는 섭섭한

느낌은 주지 않았을지 모르지만 나 자신은 어떻게 되었단말인가? 교활한 꾀를 내고 말았고

남에게 나쁜 놈이라는 인상을 주고 말았다. 나는 그 방이 싫은 이유를 떳떳이 말하고 아무 죄

의식 없이 그 집을 나왔어야 했을 것이다. 아마 할머니도 그 방의 나쁜 점을 인정했을 거고,

적어도 방을, 비용이 좀 들더라도 깨끗이 단장해야겠다는 생각을 했을 게 아닌가!

얼마 전에 우리집에서 가정부 일을 하던 지방출신 처녀가 새벽에 도망가 버린 일이 있다. 나

중에 이웃집 가정부로부터 얘길 들으니 우리 식구들에게 섭섭한 느낌을 주지 않기 위해서 자기가 나쁜 년

는 아마 오랫동안 함께 지낸 우리 식구들에게 월급을 더 많이 주는 집으로 가겠다고 하더란다. 그애

이 되기로 작정했으리라고 나는 내 경험에 비춰 짐작하며 화를 내고 있는 아내를 달랬다.

그렇다. 이번 봄부터 서울에서 살게 된 착하고 착한 지방출신 젊은이들이여, 그 착함 때문에

자기가 나쁜 역할을 맡기로 결정해선 안된다. 서울에서의 선(善)이란 자기 의견을 솔직이 말하

는 것이다. 상대편에게도 피해를 주지 않고 자기 자신도 피해를 입지 않는 7백수십만의 서울

사람과 어울려 사는 최선의 미덕은 싫을 때는 싫다고 말하는 것이라는 것을 이 못난 선배는 당

부한다.

밤을 줄도 모른다

벌써 10년도 넘은 얘기지만 나는 대학을 마치고 취직이란 걸 여섯 달쯤 해본 후, 소설가(小說家) 노릇을 제대로 하려면 배가 좀 고프더라도 직장을 따로 갖지 말고, 아직 총각일 때 공부도 더하고 글쓰는 일에만 온 힘을 다 바쳐야만 하겠다고 결심하고, 내 자취방(自炊房)에만 틀어박혀 있었다. 그때 내가, 대학입시공부를 하는 재수생인 막내동생과 함께 자취하고 있던 셋방이란 건 말단 공무원의 가난한 생활을 하고 있는 집주인이 살림에 보탬이 될까 하고 좁은 마당 한 귀퉁이에 시멘트 벽돌 한 겹으로 얇게 지어 세 내놓은, 세 사람만 들어가도 꽉 차버리는, 겨울 이면 방안의 잉크가 꽁꽁 얼어버려 쓸 수 없는 그런 가난스런 방이었다.

그런 방으로 어느 날 손님이 한 분 찾아왔다. 내 소설을 읽고 감동했는데 내가 자기의 대학 후배라는 걸 알게 되었고, 무척 가난한 생활을 하고 있다는 소문을 들었기 때문에 자기 힘으로 좀 도와줄 것이 없을까 하여 찾아왔다는 것이다. 얘기를 들어보니 요컨대 매달 얼마씩 생활비

112

를 도와줄 테니 좋은 소설 열심히 많이 쓰라는 것이었고 자기가 나에게 그런 도움을 주고 싶은 것은 자신도 한때는 좋은 소설가가 되고 싶었으나 아버지 사업을 돕다 보니 문학과는 거리가 멀어져버렸고 엉뚱하게도 회사 부사장(副社長)으로서 돈만 많고 겉만 번지르르한 부르조아가 돼버린 아쉬움 때문이라는 것이었다.

말하자면 그는 대학 후배인 나를 통하여 자신의 잃어버린 꿈을 실현해 보고 싶은 것이었다. 그는 대단히 겸손하고 그 이상의 나쁜 계산이 없음이 분명한 진심의 표정으로 말했지만 나는 고마운 생각보다 불쾌하고 울화가 먼저 치밀었다. 『고맙습니다. 제가 도움을 받아야 할 일이 생기면 찾아뵙겠읍니다만 매달 생활비라는 건 그만두십시오.』 입으로는 고마운 체 말했으나 속으로는 「너같은 놈이 나로 진짜 속물(俗物) 부르조아다. 남의 작은 집념까지도 화분(花盆) 사듯 돈으로 사들여 부려먹고 구경하며 즐기려는……」 내가 밤잠도 제대로 안 자며 하고 있는 일이란 게 결국 속물들의 심심풀이에 지나지 않는 것이라고 지적당한 듯 모욕감을 느끼며 동시에 자신의 하는 일에 갑자기 회의와 환멸이 엄습하는 것이었다. 나는 그 선배뿐만 아니라 세상의 부자라는 사람들은 모조리 미워졌다. 그후로도 그 선배는 자주 찾아왔으나 나는 없다고 문간에서 따돌려 버리거나 만나더라도 문학에 대하여 뭔가 진지한 토론을 나누고 싶어하는 그에게 시큰둥한 얼굴로 대해 버리곤 하였다.

그러던 어느 날 그는 『앞으로는 찾아오지 않겠다』고 말하고 나서, 『넌 아직 사회생활을 잘 몰라. 넌 남에게 줄 줄을 모르는 놈이지만 받을 줄도 모르는 놈이다. 아마 네가 아버지도 없어

할머니나 어머니 등 여자들 틈에서 귀염만 받고 자란 이기적인 놈인 탓이겠지. 그래 나도 이번에 좋은 경험했다. 아무리 선의(善意)에서라도 남에게 무얼 줄 때는 먼저 상대방이 어떻게 받아들일 것인가부터 생각해야 한다는 걸 깨닫게 되었어. 하지만 너도 받을 줄을 아는 방법을 배워야 할 거다. 이제 사회인으로서 첫걸음을 시작했으니 「준다」는 것과 「받는다」는 문제에 수없이 부딪치겠지. 저절로 터득하게 될 테니 더 이상 말 안하겠다. 다만 이것만은 알아둬라. 돈많이 가진 사람이라고 해서 다 똑같은 속물인 건 아니다. 자기 향락(享樂)에만 돈을 쓰는 속물도 있지만 조금쯤 뜻있는 일에 돈을 쓰고 싶은 속물도 있다는 것을. 그리고 네가 진실로 두려워하고 미워해야 할 속물은 따로 있다는 것을.」

그가 마지막이라며 하는 말을 듣고 나서야 나는 그가 진심으로 평등한 입장에서 다만, 마치 대서소(代書所) 서기(書記)인 아버지가 자기 아들은 판사(判事)가 되기를 바라듯 그런 마음으로 나에게 도움을 주고 싶어했다는 것을 확인하고 그동안 경멸하는 태도로 대한 것에 몹시 미안함을 느꼈으나 부자의 도움을 받음으로써 부자들의 잘못에 눈감아 버려야 하는, 소설가로서의 자유를 박탈당해야 한 경우가 생길까봐 스스로 경계하고 싶은 생각을 양보하고 싶지는 않았다.

소설가란 스스로 「이것이 문제다」고 생각하는 것에 봉사해야지 어느 무엇에도 구속당해서는 안된다. 권력자나 부자의 눈치를 살펴서도 안되고 동시에 힘없고 가난한 사람의 비위만 맞춰서도 안된다. 모든 것으로부터 자유로와야 하며 다만 스스로의 가치(價値)에 비추어 문제가 되는 것에 자신을 바쳐야 한다.

나는 그렇게 생각하고 있었고 그 생각 자체에는 지금도 큰 변화가 없으나, 그 선배의 마지막

충고 속에 항상 내 가슴에 궁금하게 걸려 있는 말이 있었다. 「네가 진실로 두려워해야 하고 미워해야 할 속물은 따로 있다」고 하던 마지막 말이었다.

그 선배의 예언대로 나는 그후 「준다」, 「받는다」는 문제에 수없이 부딪쳤다. 아니 혼자 사는 것이 아니고 수많은 사람과 어울려 산다는 것은, 즉 사회생활을 한다는 것은 결국 서로 뭔가를 주고받으며 산다는 것이라는 것을 깨닫지 않을 수 없었다. 학생시절인 동안에는 학교에 수업료를 주고 지식을 받는다는 단순한 거래(去來)로 충분했으나 가정도 갖게 되고 많은 사람과 여러 가지 일을 하다 보면 주고받는 것도 참으로 가지가지가 된다. 돈이기도 하고 능력이기도 하고 연정(戀情)이기도 하고 우정(友情)이기도 하고 즐거움이기도 하고 슬픔이기도 하고……

그 모든 주고받음의 목적은, 저 사람한테 없는 것을 내가 주고 나에게 없는 것을 저 사람한데 받음으로써 서로 서로가 안전과 평등을 확보하며 동시에 저마다의 꿈을 실현시켜 인간의 인간다운 목표 지점으로 모두 함께 움직여 나가기 위함이라는 것도 깨닫게 된다. 그러므로 남에게 게주는데 인색하고 남에게서 받는 데 대하여 허심탄회(虛心坦懷)한 고마움을 느끼지 못할 때 인간사회는 안전도 평등도 없으며 진보(進步)로의 움직임도 멎어 제자리걸음만 하게 되는 것이라는 걸 깨닫게 된다.

날 도와주겠다고 자청(自請)하던 그 선배의 태도를 십수 년이 지난 오늘에야 나는 비로소 부자의 고까운 취미가 아니라 지각 있는 사회인의 지혜라고 이해할 수 있게 되었다. 더구나 그이후 때때로 스스로 「문제」라고 생각하는 것을 뒤로 미루고 나 자신은 별로 「문제」라고 느끼지도 못한 채 다만 돈 때문에, 그리고 「이것이 대중(大衆)의 문제다」라고 남들이 주장하는 바람에 일하고 있는 자신을 발견할 때, 그 선배가 말하던 「더 두렵고 더 미운 속물」이야말로 저 정체없는 대중이고 동시에 그들이 돈을 주니까 그 대중이란 것에 봉사하고 있는 나 자신이라는 것을 깨닫게 되어 소름이 끼치곤 한다.

故鄕의 봄

크리스마스 靑春

내 고향의 秋夕

新年便紙

故鄕의 봄

순천(順天)의 겨울은 바람의 계절이다. 눈도 그다지 많이 내리지 않고 얼음도 두껍게 얼 줄 모르는 순천의 겨울은 멀리 지리산(智異山) 쪽에서 불어 내려치는 찬 바람만으로 황량하다. 「오리정 바람」 속에서, 「장대 아이들」은 「장대바람」 속에서 연을 날리거나 흙먼지를 뒤집어쓰며 「북데기싸움」을 하며 겨울을 난다. 서울에서 발간되는 어린이잡지에 예쁘게 인쇄된 눈사람이나 스케이팅하는 모습은 순천의 아이들에겐 먼나라의 동화 같다. 밤새도록 문풍지를 울리는 세찬 바람만의 겨울은 순천의 아이들에게 인생의 가없는 허망을 느끼게 한다.

그러나 문득 어느 날 동천(東川)의 겨우내 메말랐던 자갈밭에 물기가 어리고 이윽고 북쪽 산간지방에서 눈녹은 물이 유리처럼 맑게 흐르고 그 물가에서 어머니들의 빨래방망이 소리가 산듯하게 울려오고, 탱자나무 골목길이 질퍽거리고, 「해창」 넓은 들 너머에서 소녀의 입김 같은 바람이 간들대며 불어오고, 장날 모여드는 두메사람들의 짐 위에 진달래가 만발하고……

또 이윽고 동천방죽, 죽두봉산, 수원지, 「순고(順高)」 「농전(農專)」 「여고(女高)」의 교정에

벚꽃이 꼭 바로 그것의 빛깔인 듯 아련히 번져가고 「매산(梅山) 등」 숲이 해맑는 연두빛으로 살랑대고, 한뼘쯤 자란 보리밭의 기나긴 이랑들이 술취한 아버지처럼 후끈후끈 단내를 뿜어내고 그 하늘 젖빛 구름 속에서 종달새들이 장난질치면, 그래 그렇다, 순천은 바야흐로 다시 봄인 것이다. 그리고 다시, 순천의 인생은 봄철의 밥상에 오르는 「정어리찌개」처럼 비린내 나지만 참 맛있는 것이다.

120

크리스마스 靑春

크리스마스는 겨울의 꽃불놀이라고나 할까. 꽃불처럼 화려하고 또 그것처럼 허전하다.

백화점들은 크리스마스를 독점하여 사람들의 약점을 실컷 주물러버린다. 산타클로즈조차도 이젠 거대한 괴물 같다. 우리편이 아닌 백화점편의 괴물. 처음부터 어쩐지 수상하더라니, 산타영감이 입고 있는 옷이며 모자며 구두가 꽤 비싸 보이던 것말이다. 이 거리를 넘쳐 휩쓰는 화려하고 거대한 괴물 앞에서 가난한 젊은이들은 무서워 부들부들 떨며 서로서로 의지하기 위해 부둥켜안는다.

크리스마스 이브의 젊은이들의 탈선을 나무라지만 말아다오. 무서워 부둥켜안다 보니 그렇게 된걸. 주고받을 선물은 알몸뿐인걸.

내 고향 秋夕

우리네 명절날이란 게 대체로 살아 있는 사람의 명절이 아니라 죽은 사람의 명절이듯 내 고향 순천(順天)의 추석도 제사지내고 성묘 다니기가 바쁘다. 그렇더라도 내가 그곳에서 국민학생이 던 무렵에는 한가위 밝은 달빛 아래 밤새도록 농악(農樂)패의 흥겨운 소음이 들려오곤 했는데, 제법 근대화가 됐다는 것일까, 차츰 그런 명절 분위기도 없어져버리고 골목에서 애들이 화약놀이하는 소리, 문닫아 버린 중국집, 성묘 다녀오는 사람들의 술취한 비틀걸음 정도에서나 명절 기분을 느낄 수 있을 뿐이다. 겨우 추석날에나 한번 성묘 핑계로 가보는 너무나 조용한 명절의 고향거리에서 친구와 기껏 술타령이나 하고 있노라면 뭔가 잘못된 것 같아 가슴이 답답해지고 문득 다음 추석엔 서울에서 살고 있는 고향친구들이라도 농악패를 꾸며 내려와 하나씩(할아버지) 할매(할머니) 탈[假面]을 쓰고 긴 장죽(長竹)을 지휘봉삼고 어깨춤추는 앞잡이 따라 깽깽(꽹과리) 깨갱갱, 징소리 지잉징, 내 어린시절 동네 청년들이 해주듯 집집마다 한 마당씩 돌아주고 다니며 고향 어린이들놀 신나게 해주고 싶어진다만……

122

新年便紙

謹賀新年
癸卯元旦

李彙榮先生님 座下

弟子 金承鈺 拜

추이 연초에 선생님께 어리광이나 부려야겠군요. 연하장에 괴상한 추이 따위를 붙이는 것도 선생님 앞에선 근하신년 운운(云云)의 형식적인 인사치레가 스스로 낯간지러워서지요. 저희들 나이에서 생각해 보면 연하장이란 아무래도 가볍고, 유쾌한 기분으로 주고받아야지 (예컨대 선생님처럼 점잖으신 분 앞에서 버릇없는 농담을 계획하고 있는 저처럼 말이지요) 괜히 엄숙하게 근하 어쩌고 하는 구투는, 이크 또 답답한 한 해가 시작되는구나 하는 느낌을 주지 않습니까,

124

선생님?

우리나라 사람은 쓸데없이 점잖고 빈틈이 없어서 남의 눈치 보는 메는 선수가 되어버린 듯한 데 새해 첫날만이라도 안 그랬으면 좋겠다고 생각하고 있읍니다. 추이 같은 것도 빈틈없는 사람들은 도저히 생각지 못할 서식(書式)이지요. 얼싸덜싸 들든 마음으로 편지를 쓰다가 아차 빠뜨려 먹었구나 하고 쓰는 게 추이가 아닙니까? 하긴 저처럼 계획적으로 추이를 쓰는 놈은 실로 가증스러우시겠지만, 정월 초하루니 선생님, 웃고 넘겨주세요.

새해엔 새로운 포부들을 얘기할 수 있어야 한다고 흔히들 얘기하는데 저도 정신 잃은 체하고 선생님께 새로운 제안이나 하나 말씀드릴까요? 선생님 성격에 전 불만이 있읍니다. 물론 저희 들께 늘 새로 주시지만 너무 한계가 있으신 것 같습니다. 선생님과 저희들 사이에 어떤 금을 그어 놓고 선생님께서 그 금 밖으로 나오셔서 저희들을 대해 주시지, 저희들을 그 금 안으로 들어가게 하지는 않으시는군요. 그래서 선생님을 경원(敬遠)해 버리는 친구들을 가끔 봅니다만 그럴 땐 퍽 안타까운 생각이 듭니다.

커다란 대문에 손바닥만한 쪽문을 만들어놓고 그 틈으로 얼굴만 빠끔히 내밀고 밖에 선 사람과 얘기를 주고받는 소시민적 성격은 대문 밖에 선 사람을 무척 고독하게 합니다. 대문을 활 작 열고, 때로는 자기의 실수도 보이는 사람은 상대편에게 얼마나 큰 친밀감을 주는지요! 선생님, 죄송합니다. 어리광을 핑계해서 사상 유례없이 버릇없는 연하장이 되어버렸읍니다만 선생님을 따르는 제자의 들뜬 새해 기분에서 불쑥 튀어나온 얘기이니 관용하시기 바랍니다.

전 요즘 일본의 작가 다사이 오사무(太宰治)에게 빠져 있읍니다. 평장히 아름다운 친구인 듯합니다. 번역된 그 사람의 소설을 두 편 읽었는데 반해 버렸읍니다. 당분간 그 사람 밑에서 숨도 크게 못 쉴 듯합니다. 지드도 다시 한번, 그리고 까뮈도 도스토예프스키도 다시 한번 만나봐야겠읍니다.

하도 날쌘 사람들이 많아서 모두 다 얘기해 버린 듯하여 저는 무슨 말을 해야 좋을지 몰라 입만 쩍 벌리고 있다가 죽어버릴 것 같은 생각이 문득문득 들어서 몸서리를 치고 있읍니다. 선생님, 도와주십시오.

새해에도 부디 건강한 모습으로 강의실에 나와주시기 빌겠읍니다. 방학이 끝나면 캠퍼스에서 뵙겠읍니다. 안녕히 계십시오. 새해를 맞아 댁내에 평안 있으시기를.

註＝이 글은 1963년 1월 1일 《경향신문》의 기획에 의한 「師弟間의 新年便紙」를 위하여 쓴 것임.

126

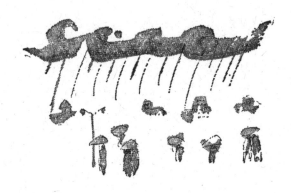

除夜의 問答

정직한 이들의 날

잠타령

會社員과 埋沒鑛夫

원작을 가위질하는 뜻

除夜의 問答

문——물론 네 부모 덕택이겠지만, 우연히도 1960년대와 너의 20대는 일치된다. 60년에 20살이 되었고 69년에 29살이 되었당. 먼저, 60년대에 청춘을 보낼 수 있었던 너의 행운에 대하여 신과 부모님께 감사드려라.

답——감사드리라니. 60년대에 20대가 되었다는 게 왜 행운인가?

문——묻는 쪽은 나야. 잔말 말고 감사드리라면 드려! 네가 만일 조금 빨리 태어나 50년대에 20대를 맞았다고 생각해 봐. 지금쯤 너의 백골은 어느 이름없는 산에서 뒹굴며 썩어가고 있을지 몰라. 아니면 적어도, 전쟁의 메마른 먼지를 둘러쓴 덕분에 머리 속이 텅텅 비고 다만 생존해 보려는 악밖에는 가진 것이 없는 인간이 되어 있을 거야. 그리고 만일 네가 조금 더 일찍 태어나서 40년대에 청춘을 맞았다고 상상해 봐. 뭐 내 입으로 설명해 드릴 필요도 없겠지. 그런데, 넌, 다만 좀 늦게 태어났다는 덕택에 교육도 비교적 체계적으로 받을 수 있었고, 정말 목숨이 오락가락하는 위험을 피할 수도 있었단말야. 그런데도 행운이 아니란 말인가?

답──듣고 보니 그럴 듯하군. 그럼 감사를 드리기로 하지. 그러나 신이라든가 부모님께는 아니야. 신은 아직도 우리가 가야 할 길에 폭탄을 파묻어 두었고 부모님이 나를 알맞은 시간에 태어나게 한 것은 무의식적인 것이었으니까. 그러므로 우리의 감사를 받아야 할 사람들은 바로 50년대에 자기네의 청춘이 희생당한 사람들, 40년대에 자기네의 청춘이 학대받던 사람들, 30년 대에 자기의 청춘을 피로와하던 사람들……다시 말해서 과거에 비하면 퍽 평온한 세월, 60년대를 마련하는 데 공헌했던 사람들이지. 하지만 우리도 약간은 평온하지 않게 지냈어.

문──4 · 19말인가?

답──그거라면 유쾌한 기억이지.

문──그럼 뭐가 평온하지 않았단 말인가?

답──가령 월남참전(越南參戰)일 수도 있지. 내 고향 친구 한 사람이 있었어. 머리가 나빴던 지 중학교 때 공부는 잘하지 못했어. 그러나 운동은 잘했어. 특히 태권도엔 상당한 실력이 있었지. 군대에 가선 태권도 교관이 되어 월남으로 갔어. 거기서 베트공이 장치한 폭탄에 죽었어. 가지 않았더라면 안 죽었을 거야.

문──월남전 참전에 시비를 거는 건가? 그건 대의명분이 뚜렷한 일이 아니었냐말야.

답──난 우리도 완전히 평온하지만은 않았단 얘기를 하고 있는 거야. 물론 대의명분은 알고 있지. 그것 때문에 얻은 이득도 알고 있고말야. 그 이득 때문에 난 그 친구의 죽음에 대한 슬픔을 겨우 달래보려고 애쓰고 있는 거야.

문──월남참전 때문에 얻은 이득이라면, 역시 「달러」말인가?

130

답——천만의 말씀. 그건 몇 사람이 자기네 빌딩 짓는데 사용해 버렸어. 물론 국가 전체적으로야 상당한 이득이 됐지. 그러나 그보다도 난 이렇게 생각해 보는 거야. 월남참전 덕분에 우리 민족의 고질인 열등의식이 다소나마 씻겨지지 않았을까 하고말야. 우리 군대가 우리 국토 아닌 땅에서 전쟁을 해봤다는 뜻의 동물적인 우월감말야. 물론 터무니없이 소박한 생각일지도 몰라. 우스꽝스럽도록 자만심만 뱃속에 가득한 민족이 되는 것도 바람직한 것은 아니지. 그러나 우리에게서 열등의식은 거의 자학적인 것이었지. 그런 불행한 기회를 통해서나마 병적인 상태는 벗어났으면 하는 게 내가 바라는 거야. 물론 월남전 참전에 대한 역사적 도덕적인 평가는 아냐.

문——네 또래 녀석들은 걸핏하면 4·19를 들먹거리는데 그게 너희들 자신한테는 어떤 의미가 있는 전가?

답——여러 가지로 뜻있는 일이었지. 그러나 그 무엇보다도 우린 우리가 받아온 교육을 실천할 기회를 가질 수 있었다는 점에 의미를 두고 싶어. 해방 후에 국민학교에 입학했던 우리들은 자라나면서 이렇게 교육받았지. 자유민주주의란 좋은 것이다, 목숨을 걸고서라도 지킬 만한 가치가 있는 것이다. 그렇게 배우면서 철이 들었는데, 둘러보니 어른들은 아직 그걸 잘 모르고 있더란말이야. 어른들이야 사실 알 턱이 없지. 머리가 돌처럼 굳어진 후에야 소문으로만 주워들은 거니까. 「자유」하면 먼저 「방종과 비슷한 말인데……」 어쩌구 하며 고개를 갸웃거리고 「민주주의」하면 대통령이란 제도만 형식적으로 갖추고 있으면 되는 줄 알고 있더란말야. 5천년 한국 역사상 자유민주주의란 것을 어렸을 때부터 공부한 것은 우리 또래가 처음이야. 공부를 했으면 그 다음엔 실천을 해야지. 그래서 우린 실천한 거야. 나중엔 본의 아닌 부작용이 일어난 것도 사실이지만, 그러나 그 몇 가지의 부작용 때문에 깊은 의미가 묵살되어선 안돼. 4·19는 우리 민족이 키워나가야 할 씨앗이라고 우리는 생각하고 있는 거지.

문──4·19했던 세대로서, 그후 대학생들이 걸핏하면 데모를 벌이는 버릇을 가지게 된 점에 책임감을 느끼지 않는가?

답──책임감이라면 이쪽에서 묻고 싶다. 기성세대인 당신들은 당신들이 청춘이었을 때를 잊었는가? 순수하게 열광할 수 있는 청춘의 특성을 잊었는가? 그리고 그 특성을 발휘할 수 없도록 압박받아 마침내는 꺾여버렸을 때의 무기력, 열등의식, 좌절감의 고통을 잊었는가? 당신들이야말로 그것을 가장 잘 알 수 있는 사람들이다. 당신들은 꺾였기 때문에 마침내는 만사에 쉬쉬하는 버릇이 붙어버렸다. 물론 당신들은 사회질서를 유지해야 하는 무거운 짐을 짊어지고 있다. 그렇다고 하여 청춘다운 특성을 제거하려는 압제자가 돼도 좋다는 권리를 가지고 있는 건 아니다. 당신들이 해도 좋은 젊은이들과 싸우는 일이 아니라 그들을 위해 고함칠수 있는 일정한 광장을 마련해 주는 일이며 그들의 피를, 그 뜨거운 온도를 오래오래 유지시켜 줄 보온병(保溫甁) 구실을 해주는 일이다. 정말 걱정되는 것은 당신들의 지나친 압력 때문에 청춘이 열광할 줄 아는 능력을 잃어버린 박제(剝製)들이 돼버려 우리 모두의 최소한의 자유마저 유린당하는 위기에 부딪치는 경우가 와도 슬슬 꽁무니를 빼는 무기력하고 비겁한 청춘이 될까봐, 하는 것이다. 우리는 소음(騷音)에 익숙해져야 한다. 조용한 것만이 가장 좋은 것은 아니다.

정직한 이들의 날

응급치료실의 문이 활짝 열린다. 땀과 피로 곁레처럼 젖은 가운을 입은 의과대학생이 들것을 무겁게 들고 비틀거리며 달리다시피 들어온다. 들것 위에는 대학교복을 입은 한 젊은이가 입으로 피거품을 가쁘게 뿜어내며 꿈틀거리고 있다.

『중상입니다. 치료대(治療臺)는 어디 있어요?』

『치료대가 모자라요. 우선 중환자실로, 이쪽으로 오세요.』 땀투성이의 간호원이 쉰 음성으로 말하며 벌써 앞장서 달린다.

사실, 그다지 좁지도 않은 치료실 안은 먼저 실려온 총상자들로 꽉 차 있다. 거의 모두가스 무살 안팎의 대학생들이다. 그들의 옷에 묻어온 화약의 냄새와 그들의 상처에서 쏟아지는 피와 그들의 고통스런 비명과 신음, 그리고 긴장할 대로 긴장해 있는 간호원들과 의사들의 바쁜 손 길로 치료실은 꽉 차 있는 것이다.

메모군중들의 함성과 합창소리 그리고 그 우렁찬 소리들을 침묵시키고야 말겠다는 듯 쉬지 않고 쏘아대는 경찰들의 총소리가 이 수도육군병원 복도에서도 만질 수가 있을 듯 가까이 들린다.

『야단났어요. 부상자는 자꾸 들어오는데 손이 모자라요. 모자라는 건 손만이 아녜요. 피가, 피가 모자라서 큰일났어요. 더 이상 부상자가 늘어나면 수혈(輸血)도 못 시켜보고 죽일 것 같아요. 부상자가 많겠죠?』 금방 울음이라도 터뜨릴 것 같은 음성으로 간호원이 말한다.

수술실에서는 수술 도중에 죽는 부상자가 흰 시이트에 덮여 실려나오고 다른 부상자가 실려 들어간다.

『벌써 열한 명이 수술 도중에 죽었어요. 수술받은 부상자 중에서도 살아날 수 있는 사람은 몇 명밖에 안될 거예요. 수술 받아 보지도 못하고 죽은 학생들도 있어요. 미쳤어요. 모두 미쳤어요. 왜 데모를 하구 또 총을 쏘아 아까운 젊은이들을 죽이는지. 모두 미쳤어요』

『학생들은 미치지 않았어요.』 들것에 실려가고 있는 젊은이가 피거품과 함께 띄엄띄엄 말을 토한다. 『우리는 학교에서 배웠어요. 부정(不正)한 짓을 하면 안된다구. 그래서 선거를 부정으로 한 사람들에게 선거를 공정하게 다시 하라구 말했어요. 그것뿐예요. 미친 것이 아니죠.』

『말하지 말아요. 말하면 피가 더 나와요.』

들것을 들고 가던 의과대학생들 중의 하나가 부상자의 말을 중단시킨다.

『이 학생 메모 주동자인가요?』

간호원이 의과대학생에게 묻는다. 들것 위의 젊은이는 고개를 젓는다. 그리고 말한다. 『학교 교과서가 주동자예요. 부정(不正)을 그냥 보고만 있는 것도 부정이라고 가르치는 교과서가!』

『말하지 말라니까요. 피가……』

중환자실 역시 부상자들의 비명과 신음으로 꽉 차 있었다. 거기에 새로운 부상자들이 잇달아 들어오고 있다. 뜨거운 피는 쉬임없이 흘러 상처를 틀어 막은 가제뭉치를 적시고 베드의 비닐 커버를 적시고 마룻바닥을 적신다.

간호원이 다시 달려나가서 혈액병을 들고 돌아왔을 때 그 젊은이는 거의 의식을 잃어가고 있다. 수혈하기 위한 차비를 하고 있을 때 그 젊은이가 눈을 뜬다. 그리고 마지막 힘을 다하여 옆 병상(病床)의 고등학생 부상자를 가리키며 간호원에게 말한다.

『피가 모자란다면서요? 저 학생한테 먼저 수혈해 주세요. 난 나중에……』

『채혈지원자(採血志願者)들이 많이 몰려왔어요. 피는 부족하지 않을 거예요.』

『고맙군요. 어쨌든 저 학생부터 먼저……』

『그렇게 하라고 교과서에 씌어 있던가요?』

『예. 그렇게 배웠어요.』

젊은이는 미소하며 말한다. 간호원은 젊은이가 시키는 대로 고등학생의 팔에 주사바늘을 꽂고 돌아와서 병상에 붙은 카드를 들여다본다. 「김치호·22세·서울대학교 문리대 수학과 3년」이라고 씌어 있다.

『김치호씨는 이담에 정확한 수학 교수님이 되겠어요.』

그러나 김치호는 수학교수가 되지 못한다. 그날 1960년 4월 19일 밤 10시에 영원히 뜨지 못할 눈을 감은 것이다. 아아, 4월──정직한 이들의 달이여!

잠 타 령

사람에 따라 식성(食性)이 다르듯 잠자는 습성도 사람마다 조금씩 다른 모양이다. 가령 어떤 사람은 4시간쯤 자고도 끄떡없지만, 어떤 사람은 8시간을 자고도 잠이 모자라서·쩔쩔매는 것이다. 의학박사님들의 의견에 따르면 두뇌를 많이 사용하는 직업에 종사하는 사람일수록 수면 시간이 많이 필요하다는 것이다. 가장 두뇌를 많이 쓰는 직업은 무엇일까? 그야, 자기 돈 한 푼없이 남의 돈을 이리 돌리고 저러 돌려대며 계(契)를 여러 개 하는 계 마담이지, 라고 해서 는 안되겠고, 그 흡사한 걸로 정치가라는 게 있다. 계 마담과 크게 다른 점이 있다면 그 책임 의 막중함이다. 계 마담의 실수는 몇 사람의 재산에 피해를 주는 정도지만, 정치가의 실수는 수 많은 사람들의 목숨을 잃게 하는 수도 있는 것이다.

특히 모든 정치적 결정이 여러 사람에 의한 충분한 토론의 결과라기보다 소수의 몇 사람에게 의존하는 경우가 더 많은 체제일수록 실수의 결과는 더 참혹하다. 뿐만 아니라 실수의 빈도(頻 度)도 잦다. 그 좋은 예를 우리는 히틀러의 독일과 도죠(東條)의 일본에서 본다.

여기서 나는, 좀 엉뚱하게도 수면의 문제가 생각나는 것이다. 히틀러나 도죠 또는 나폴레옹의 사진을 보고 있으면 이건 틀림없이 수면부족에 걸려 있는 사람 특유의 표정이다. 신경질적이고 배타적이고 거부적이고 자기보호 본능이 날카롭게 노출되어 있는 표정들인 것이다. 가령 8시간쯤 푹 자고 나면 일을 견딜 수 있는 체력을 가진 사람이 4시간도 겨우 잤을까 말까 했을 때의 표정. 여기에 비하면 처칠이나 루즈벨트의 표정은 퍽 여유있어 보인다. 기록에 의하면 2차대전 당시 처칠의 하루 수면시간도 충분한 것은 아니었으나 일의 부담은 히틀러에 비하면 퍽 적었던 것 같다. 보다 충분한 수면을 취하는 지도자가 보다 맑은 정신으로 사리 판단하여 전쟁에도 이긴다고 하면 지나친 농담일까?

농담 하나 더 하자면 얼마 전 우리나라 신문에서까지 떠들썩했던 일본의 작가 미시마 유끼오의 자살극(自殺劇)도 잠과 밀접한 관계가 있는 것 같다. 이런 경우는 수면부족이 아니라 수면시간의 배정에 문제가 있는 것 같은데, 어느 신문 기사에 의하면 미시마의 하루 생활은 주로 낮에 자고 밤에 일하는 것이었다. 이런 생활은 사고(思考)를 명료하게 해주는 대신 단순화시키고 극단적으로 몰고 간다.

수년 동안 낮과 밤을 거꾸로 살았던 나의 경험에 의하면 그렇다. 명백한 것은 대개 단순하고 단순하면 행동하기 쉽다. 그리하여 미시마는 그토록 간단히 행동했던 것 같은데, 낮의 생활이 주는 그 망설임(懷疑)、타인의 시선이 자꾸 의식됨 등의 방해를 받았더라면 「생각 곧 행동」이 그렇게 간단하지는 않았을 것이다.

확실히 두뇌를 많이 사용하는 사람은 수면을 잘 쓸 줄 알아야겠다.

會社員과 埋沒鑛夫

어느 회사에 말단사원으로 있는 한 젊은이가 다음과 같은 얘기를 했다.

저는 이름을 대도 잘 모르실 서울의 어느 조그마한 회사에서 만여 원의 월급을 받으며 일하고 있는 사람입니다. 저 역시 실여 일 전에 신문에서 구봉광산(九峰鑛山)의 매몰사고 기사를 읽었읍니다만 솔직이 말씀드리차면 처음 그 기사를 대했을 때엔 기사제목만 읽고 으레 흔히 있는 광산의 매몰사고려니, 따라서 광부 몇 명이 죽든지 아니면 2、3일 후엔 구조되겠지 하는 식으로 간단히 생각해 버렸읍니다. 그리고 그날은 무심하게 지나쳐버렸읍니다. 난데없는 엉뚱한 애기를 꺼낸다고 이상하게 생각하시겠지만 그 매몰사고 기사를 읽던 날 저녁에 저는 같은 직장에 있는 친구의 소개로 어떤 처녀와 인사를 하게 됐읍니다.

그날 저녁 저는 분에 넘치지만 여자에게 좋은 인상을 주기 위해서 명동에 있는 값비싼 양식점에서 저녁을 먹고 여자와 영화구경까지 하고 헤어졌읍니다.

138

저는 그날밤엔 마음씨 고와 보이는 그 여자에 대한 생각을 하며 잠이 들었읍니다. 그런데 다음날 신문을 받아들자 잊어버리고 있었던 광부의 매몰사고에 대한 기사가 또 실려 있었읍니다. 이번에도 별생각 없이 기사를 읽었읍니다만 매몰된 광부가 다행히 살아 있다니 곧 구출되겠지 하는 정도로만 생각해 버리고 곧 저는 그날 하오에 만나기로 한 여자 생각을 하기 시작했읍니다. 그날 하오에도 저는 앞날의 제 아내를 위해 분에 넘치는 음식을 먹고 남산 드라이브를 했읍니다. 저는 행복했읍니다. 그런데 다음날 또 저는 매몰사고 기사를 신문에서 보아야 했읍니다. 구출작업의 진행이 신통찮은 모양이었읍니다. 저는 이런 사고가 날 만큼 신통찮은 설비를 한 광주(鑛主)를 욕했고 다른 성급한 친구들은 매몰된 김창선(金昌善)씨가 살아서 구출될 것이냐 아니냐로 내기를 걸기 시작했읍니다. 그리고 그결로써 또 저는 매몰사고는 곧 잊어버리고 제 아내가 될 여자에 대한 생각을 하기 시작했읍니다. 며칠 동안 저와 매몰된 김씨와는 대강 그런 식의 관계였읍니다만 그런데 어느 틈엔가 이상한 일이 일어나고 말았읍니다. 김씨가 벌써 열흘 째 굶고 있었다는 사실이 문득 제 배를 고프게 했고, 미8군에서 구조작업을 도우러 갔다는 사실에 문득 제 낯이 뜨거워짐을 느꼈고 김씨가 죽을 것으로 단념하고 보상금을 자기 자식들의 교 육비로 써달라고 유언했다는 기사를 읽었을 때엔 울고 싶었고…… 저는 이상해졌읍니다. 마치 제 자신이 그 답답한 갱(坑) 속에 파묻혀 있는 듯한 느낌이었읍니다. 지금 저는 생각합니다. 한 사람의 생명에 사회 전체가 이토록 관심을 가져주고 있다는 사실을 알고 있기 때문에 김씨 는 그 답답한 갱 속에서 사신(死神)과 싸우며 버티고 있는 것이라고 말입니다. 그리고 우리 서 로가 서로의 생명을 지켜주지 않는다면 우리는 벌써 허무하게 죽어버렸을 것이라고 말입니다.

그 어두운 갱 속으로 그토록 악착스럽게 저를 떠밀어 넣은 신문을 욕하면서도 저는 그렇게 생각하는 것입니다.

원작을 가위질하는 뜻

요즘 많은 소설들이 영화로 만들어지고 있다. 10여 년 전, 아니 3, 4년 전까지만 하더라도 영화제작회사가 소설을 영화로 만드는 까닭이 흥행 수입을 올릴 수 있다는 데에 있기보다는, 정부가 마련한 우수 영화제작 장려제도에 맞추어 어떤 혜택을 받으려는 목적에 더 크게 있었다.

따라서 소설의 영화화를 상업적인 계산에서는 상당한 모험으로 여겨 그 제작을 꺼려 망설이는 대신에 소설을 선택하는 기준은 그의 문학적인 가치 또는 평가에 역점을 두었고, 되도록 원작을 충실히 영화로 옮겨보려고 애썼다. 어쩔 수 없이 소설에 없던 인물, 소설에 없던 이야기가 영화 속에 조심스럽게 들어가게 되는 까닭도 당국의 검열을 통과하기 위한 정도였다.

그런데 텔레비전이 온나라에 보급된 뒤로 심한 불황에 빠져 있던 영화계에서 지난 1974년에 최인호씨의 장편소설인 《별들의 고향》이, 그리고 1975년에 조선작씨의 단편소설인 《영자의 전성시대》가 영화의 불황기 가운데에서도 보기 드물었던 흥행의 성공을 거두자 영화제작회사들은 이제 소설의 영화화는 오히려 상업적으로 안전하다고 생각하게 되었다. 그 대신에 소설을 선택하는 기준을 철저히 상업적인 것으로서, 그 문학적인 평가보다는 그 내용의 상업성에 거의 절대적인 역점을 두고, 관객의 취향에 맞추기 위해서는 소설 내용을 대담하게 탈바꿈 시키는 것도 마다 하지 않게 되었다.

원칙적인 이야기를 하자면, 소설을 원작으로 삼은 영화를 보는 재미는 독자들이 그 소설을 읽는 동안에 자기 나름대로 상상하던 그 장소, 그 인물 및 그 대사 따위를 영화에 맞추어 보는 것이겠다. 《바람과 함께 사라지다》를 읽은 독자는 자기가 활자로 읽었던 한 줄의 대사가 클라크 게이블의 입으로 유들유들하게 흘러나오는 데에 기쁨을 느낀다. 《엑소더스》를 읽은 독자는 지도에서 한 줄의 선으로만 보았던 상상하기 힘든 키프러스섬을 영화 속에서 마치 그곳에 와 있는 듯이 볼 수 있음에 감동한다.

소설을 영화화하는 경우에 완벽한 영화적인 리듬이나 영상미는 이루지 못하더라도 원작을 충실히 묘사해 주는 것이 원칙이다. 이 원칙은 소설을 영화로 만드는 또 하나의 목적, 곧 책은 잘 읽지 않을지만 영화는 보는 낮은 수준의 많은 대중들에게 줄거리로나마 그 소설을 읽은 듯하게 해주는 목적에도 적용된다.

그러나 이 원칙이 우리 영화계의 경우에서는 그다지 충실히 지켜지지 않았고, 더욱 지켜지지 않는 추세로 나아가고 있다. 앞서 말한 대로 첫째는 상업적인 계산에 따른 소설의 단순한 소재 처리와, 둘째는 정부의 폭이 좁은 검열 기준과, 세째로 소설독자의 숫자가 영화관객으로서는 무시해도 될 만큼 적다 것이 그 이유이겠다.

지난 2월초에 개봉되었던 영화 「왕십리」의 경우도 이런 추세에서 예외인 작품은 아니었다.

142

조해일씨의 중편소설인 「왕십리」를 이희우씨가 각색하고, 임권택씨가 연출한 이 영화는 그 원작 소설의 주제에 칭찬할 만큼 충실했으면서도, 또 내용의 일부를 바꾸고 원작에 없는 일화를 끼워 넣고 마지막 부분은 아주 다르게 바꾸지 않을 수 없었다. 소설의 줄거리는 대체로 다음과 같다.

가난한 막벌이꾼의 딸인 정희를 사랑하던 대학생 민준태는 부모의 거센 반대로 그녀와의 결혼은 말할 나위도 없고, 일을 하다가 다친 그녀의 아버지의 치료비도 얻어내지 못하자 짐에 불을 지른 뒤에 밀항선을 타고 일본으로 건너간다. 일본의 암흑가에서 밀수와 폭력조직의 한 사람으로 목숨을 건 싸움 끝에 웬만큼 성공한 그는 14년 만에 귀국하여 가난하고 구질구질하지만 자기 청춘과 사랑의 추억을 담고 있어서 오히려 따뜻하고 인간미가 있는 마을 왕십리로 찾아온다. 옛날에 그의 청춘과 사랑이었던 정희를 몹시 애타게 찾아보지만 그녀의 간 곳은 알 길이 없고 그 대신에 그가 여관에 든 첫날밤에 만난 윤애의 슬픈 호소를 받는다. 그는 겨우, 아는 사람의 부인이 된 정희를 만났고 이제는 청춘도 사랑도 돌이킬 수 없는 과거임을 확인한다. 차라리 창녀 윤애 속에 그가 사랑하는 왕십리가 있음을 느끼고 윤애와 살림을 시작하기로 하지만 그 동거의 첫날밤에 그와 한패거리가 되자고 했다가 거부당한 안경수의 부하들로부터 한꺼번에 공격을 받고 격투 끝에 목숨을 잃는다.

소설의 이 간략한 줄거리만 가지고 이야기하더라도 영화는 내용을 다음과 같이 바꾸고 있다. 아버지의 유산 분배를 놓고 추잡한 집안싸움을 하는 가족들에게 환멸을 느껴 준태는 자기 재산을 모두 포기하고 일본으로 갔다가 14년 만에 서울로 돌아온다. 그의 청춘과 사랑인 정희를

겨우 찾고 보니 배다른 아이를 셋씩이나 가진 사기꾼이 되어 있다. 사랑했던 과거를 이용하여

준태에게서 아이들과 먹고 살 돈을 훔쳐내는 불행한 여자가 되어 있다. 한편 준태를 자기와 갑

은 가난하고 불행한 처지에 있는 줄로 알고 결혼하자던 창녀 윤애는 준태가 돈많은 사내인 줄

알자 자기와 어울릴 수 없는 신분이라고 울면서 그를 떠나 고향으로 돌아간다. 일본에서 그를

메리러 온 암흑가의 동료들을 떼려서 쫓아보내고 그는 비록 많이 변했지만 따뜻한 우정은 아직

남아 있는 새로운 왕십리에서 새로운 인생을 시작하겠다고 마음을 먹는다.

여기서 우리는 소설을 영화화하는 고충을 충분히 엿볼 수 있다. 원작에서의 불을 지르는 장

면과 일본에서의 폭력행위 따위를 영화에서 피해간 것은 영화 검열을 통과할 수가 없기 때문이

고 정희를 과거의 아름다워왔던 애인에서 추한 사기꾼으로, 그러나 아이들과 함께 먹고 살기 위

한 진실을 가진 동정할 만한 여인으로 극적인 몸바꿈을 해가도록 만든 것은, 말할 것도 없이

원작이 이야기하고자 하는 「잃어버린 과거」라는 뜻에 맞추면서도 영화 관객들에게 충격을 주고

그들에게서 감동을 끌어내려는 상업영화다운 계산 때문에서였겠다. 마지막에 준태와 창녀 윤애

를 결합시키지 않고 또 준태를 폭력의 세계에 지지 않고 싸워서 이겨 새로운 정착민으로 탄생

시키는 것은 밤고 진취적인 해결을 권장하는 검열 당국과, 도덕적인 모험을 피하고 마다 하는

영화대중특유의 도덕 감정, 그 두 쪽을 모두 의식한 결과의 왜곡이겠다.

현재 한국영화제작 실정의 어쩔 수 없는 요소를 생각한다면 요즈음에 만들어져 상영된 많은

원작이 있는 영화들 가운데에서 「왕십리」는 그런 대로 원작에 충실한 영화라고 할 수 있다.

주머니를 털어서 술을 사는 친구들이 있고, 이루어지지 않는 가난한 애인이 있고, 여관과 다

방과 당구장들이 한데 엉켜붙어 있는 낡은 건물이 있고, 모퉁이를 돌아서면 푸줏간이 있고, 내버려두든 것 같은, 시커먼 저탄장이 있고……찌들었으나 지치지 않는 삶의 장소, 그것은 확실히 고향의 모습이다. 「왕십리」는 우리가 한번은 탈출하듯 떠났다가 어느 땐인가는 가슴 터질 듯한 그리움을 안고 돌아와서 그 변한 모습을 샅샅이 마주해야 하는 바로 우리들의 고향, 그 고향 사람들의 이야기다. 이러한 소설 「왕십리」의 주제는 영화 속에서도 고스란히 간직되어 있다. 부분적으로는 비록 원작에 없는 일화이지만 원작의 주제를 최대한으로 살리면서 영화로서도 뚜렷하게 성공하고 있다. 가령 김영애가 맡은 정희가 돌이킬 수 없는 사랑에 대한 회한과 욕된 현실에 대한 증오와 앞으로의 삶을 무겁지만 온몸으로 받아들이려는 각오로써 춘근에게 앙칼지게 달려드는 새벽 광장에서의 장면은 그 세련된 연출과 함께 오래오래 기억해 두고 싶은 장면이다.

아쉬운 점이 있다면, 원작이 애써 표현해 준 왕십리 고유의 풍정들, 근대화에 밀려나버린 서투르고 초라해서 오히려 우리들 가슴 속에 오래오래 살아 있는 고향의 모습으로서의 옛 왕십리 풍정들을 기대했던만큼은 볼 수 없었다는 점이다. 그러나 엄청난 경비를 들여서 그 풍정을 되살리는 것을 빈약한 한국 영화자본에 기대한다는 것은 실제로는 불가능하다. 얼마 동안 우리는 소설을 이만큼이라도 충실히 영화화한 작품은 만나 보기 힘들지 모른다.

新春文藝　當選所感

東仁文學賞　受賞所感

李箱文學賞　受賞所感

당신의 아픔이 나의 아픔이기를

新春文藝 當選所感

저의 학기말 시험과 제가 맡아 가르치던 애의 중학입시와 그리고 작품모집 마감 날짜의 박두

이 셋이 한꺼번에 겹쳐서 정말 지난 12월엔 여간 애를 먹지 않았읍니다.

마감 날 밤 8시경에야 간신히 신문사 문화부 데스크에 제 원고를 바쳐놓고 나서, 제게 속하는 물건들을 빠짐없이 몽땅 꾸려가지고 에잇 지긋지긋한 서울 내가 다시 오나 봐라 하고 하향

(下鄉)해 버렸읍니다만, 비감하기는 여전, 한강 철교를 건널 때 어둠 속에서 명멸하는 도심의 불빛들을 보고 그만 눈물을 흘려버리던 생각만 하고 있었읍니다.

꽉 막힌 스물 한 살. 성욕조차 물러가 버린 선달이었읍니다. 그러다가 초하룻 날 신문을 보

니 제 이름이 나와 있었읍니다.

훌륭한 소설가가 되었으면 좋겠읍니다. 단념이라든지 편견이라는 어휘들이 이젠 제법 몸에

익은듯 싶습니다만 그러나 제 생활의 셈이 무엇인지 아직도 알쏭달쏭하기는 여전합니다. 스물

두 살 때엔 글을 어떻게 쓸 줄 모른다고 까뀌가 말했읍니다만 어떻게 살 줄 모른다는 애기도

되겠읍니다.

알량한 노번 서적상들이나 팔러 다니는 처세 철학책 따위에나 실린 말 한 마디를 뜻밖에도 저의 전체로 긍정하고 감격해야 하는 순간이 때때로 있는데 그럴 때면 분하기도 하고 한편으로는 이게 산다는 것인가 보다, 하고 웃깃을 여미기도 합니다. 문학적 체험으로서 이 인생이라는 말을 생각해 봅니다. 그러나 아직 모르긴 몰라도 세상에는 쓸쓸한 일뿐일 것 같습니다. 지난 해에 제 고향의 친구 두 명이 자살을 했읍니다. 저는 부끄러워서 혼이 났읍니다. 아마 허영쯤 되겠읍니다만, 늘 남이 해버린 뒤에야 아차 그건 내가 생각한 견데 하고 억울해 하는 놈입니다. 평범하다는 이야기올시다.

제게 문학을 가르쳐주시는 분들께 감사합니다.

150

東仁文學賞 受賞所感

자라나면서 여러 가지 이름의 상을 받아보았고 한편 상(賞)을 받을 수 있도록 노력도 해 보았읍니다만 그중에서 제 자신은 여기치도 못했던 엉뚱한 상을 두 가지 받았읍니다. 그중 하나는 국민학교 5학년 때의 어린이날에 도지사에게서 받은 「착한어린이상」이란 것이고 다른 하나가 이번의 「동인문학상」입니다. 몸이 약해서 다른 애들과 잘 어울려 놀지 않고 한쪽에서 만화책이나 들여다보고 있는 제가 아마 학교 선생님께는 얌전하게 보였던 모양이고, 막연하나마 누구나 느끼고 있을 것을 다소 엄살 섞인 몸짓으로 표현한 소설을 문학상 수상감이라고 심사위원되시는 분들은 생각하셨던 모양입니다. 세상의 허술함에 놀라고 싶을 지경입니다.

그러나 그 「허술함」 때문에 저는 하나의 가능성을 생각하고 있읍니다. 혼히 우리는 이런 애기를 듣고 있읍니다. 지금 우리나라엔 질서가 없다. 가치판단의 기준이 없다. 신(神)이 없다. 그런 의견들은 사실 옳은 것 같고, 그것이 아무리 현대 전세계의 특징이라고 할지라도 무서운 현상입니다. 본능밖에 가진 것이 없기 때문에 얼마든지 잔인해질 수 있는 원시인은 몇만 년 전에만 있을 수 있는 게 아니기 때문입니다. 작가로서의 저는, 가령 우리의 다음 세대 또는 나중의 우리가 그것을 파괴하는 재미를 맛보게 하기 위해서라도 우선 질서를 만들 필요를 절감합니다.

물론 저는 옛날의 저 봉건적인 질서를 부활시키자는 것은 아닙니다. 너무 소박한 것인지는 모르겠으나 우선 제가 생각하고 있는 질서는 인간이 잔인해지지 않는, 타인의 고통을 자기도 느낄 수 있는 환경을 가리킵니다. 그런 환경을 만드는 데 방해가 되는 것들을 저는 저의 적으로 생각하고 있습니다. 사람들의 눈짓 저편에, 가슴 저편에 또는 조직의 회칠한 대문짝 저편에 숨어 있는 적들을 하나하나 끄집어내어 그의 모습을 뚜렷이 봄으로써 저는 적으로부터 항복을 받고자 합니다. 그것을 저는 앞으로도 얼마 동안은 저의 작품으로 삼고 싶습니다. 여기서 「세상의 허술함」이 저를 도울 것입니다.

우리 시대에서 가장 필요한 것은 타인의 어떤 언어, 어떤 포즈를 그대로 받아들여서 거기서 내가 반응한다는 방정식이라고 생각하고 있습니다. 「체」를 인정하지 않을 때 우리는 거기서 생기는 무서운 혼란을 겪어야 합니다. 어떤 포즈 없이 우리는 아무것도 소유할 수 없으며 만들어 낼 수도 없습니다. 타인의 죽음까지도 우리는 하나의 언어라고 생각해 주어야 합니다.

이번의 상을 받으면서 감사드리고 싶은 사람들이 너무 많습니다. 고등학교 때의 여러 선생님들, 대학 강의실에서 제게 문학을 가르쳐 주시던 여러 교수들, 저의 어머님, 문단에 나온 뒤에 많은 가르침을 베풀어주신 선배작가 여러분, 〈산문시대〉 동인, 「사상계사」가 그분들입니다. 제가 받은 이번 상이, 앞으로 잘해 보라는 뜻에서였다는 것도 저는 잘 알고 있습니다.

152

李箱文學賞 受賞所感

〈문학사상(文學思想)〉이 제정한 「이상문학상(李箱文學賞)」 제 1 회 수상자로 결정되었다는 뜻밖의 전화통고를 받았을 때 나는 무척 당황했고 착잡했다. 황소처럼 성실한 태도로 꾸준히 작품활동을 하고 있는 여러 문우들의 얼굴이 떠오르고 그 얼굴들 중에서 내 나름으로 마땅한 수상자를 골라보고 있었으며「서울의 달빛 0장」을 발표했던 잡지를 꺼내 수상작을 새삼스럽게 차근차근 읽어보며 수상감인지 어쩐지 스스로 가늠해 보았으며, 한편으로 그동안 내가 읽고 감동했던 다른 이들의 작품과 비교해 보고 있었다. 앞으론 소설 좀 열심히 쓰라는 뜻에서 이상을 준다는 심사위원님들의 음성이 들리는 것 같고, 역사주의의 물결 높은 대하(大河) 가운데 이상적(李箱的) 자아문학(自我文學)의 외로운 깃발을 지켜보려는 〈문학사상〉 주간 이어령(李御寧) 선생의 안간힘이 뜨거운 숨결처럼 느껴졌다.

사실 수상소식을 들었을 때 나를 가장 괴롭힌 것은 「이상문학상 제 1 회 수상자」라는 그 타이틀이었다. 나 역시 이상(李箱)이 자신의 문학보다 김유정(金裕貞)의 문학을 더 좋아했던 그 갈등에 항상 얽혀 있기 때문이다. 이상적(李箱的) 문학의 비극은 스스로 비주류(非主流)임을 인식하고 있어야 하고 메지어 도도히 흘러가는 대하에 부대끼는 외로운 섬으로 있어야 한다는 데 있기 때문이다.

아니, 「이상(李箱)」을 기념하는 문학상이라고 해서 반드시 이상의 아류(亞流)에게 주는 상일 수는 없을 것이다. 오히려 식민지의 캄캄한 어둠의 중량에 짓눌리면서 자신이 인간임을 확인하기 위해 언어를 혹사했던 이상의 그 갈증을 기념하기 위한 상일 것이다.

물론 하나의 문학상에는 하나의 문학관(文學觀)이 내걸려 있다. 그러나 그 문학관은 해가 거듭되고 수상작이 쌓여감에 따라 형성되어 노출되는 것이며 사회적·문학사적 평가를 얻을 수 있는 것이다. 그 평가는 또한 한개의 초석(礎石) 노릇을 벗어날 수 없는 제 1회 수상자의 앞으로의 문학과 그 파급적 효과라는 뜻에서 퍽 긴밀하게 관계되고 있다는 점만 나는 잊지 않고 있으면 될 것이다.

내가 맡아야 할 역할을 확인하며, 책임을 저버리지 않겠다는 약속을 드리며, 심사위원 선생님들의 노고에 감사하며, 문우들의 따뜻한 격려를 기대하며, 〈문학사상〉과 「이상문학상」의 발전을 빌며 염치없이 이 상을 받는다.

154

당신의 아픔이 나의 아픔이기를

李箱文學賞 受賞演說

먼저,

「이상문학상(李箱文學賞)」을 제정하여 저에게 이 분수에 넘치는 영광스런 자리를 베풀어 주신 「문학사상사」에 감사드립니다. 그리고 서투른 작품을 수상작으로 뽑아주신 심사위원 선생님들께 감사드립니다. 또한 성실한 태도로 훌륭한 작품을 많이 써낸 문우들 앞에서 낯이 뜨거워짐을 참기 어렵다는 말씀을 드리고 싶습니다. 그리고 자신의 문학 때문에 고통받고 있는 다정다감한 문우들을 생각하면 상을 받는 기쁨도 슬픔으로 바뀐다는 말씀을 드리고 싶습니다.

저는 이 상을 받으면서 많은 생각을 했습니다. 수많은 질문을 저 자신에게 던져 보았습니다. 그러나 그 많은 질문도 간추려 보면 다음과 같은 두 가지가 될 것입니다. 사람들은 나한테서 무엇을 기대하는가? 나는 사람들에게 무엇을 주고 싶어하고 줄 수 있는가?

그리고 슬프게도, 그 질문에 대한 저의 대답은 사람들에게 줄 수 있는 것은 나 자신밖에 없다는 것이었읍니다. 제가 이 시대, 이 나라, 이 이웃 속에서 살아가면서 보고 듣고 느꼈고 그리하여 상상하였던 것을 줄 수밖에 없다는 것입니다. 특히 제가 줄 수 있는 것은 저의 초라한 상상밖에 없읍니다.

그리고 바라건대, 저의 상상을 드렸다면 제 모든 것을 받은 걸로 여겨 주시기 바랍니다. 왜냐하면 저는 인간이란 상상이라고 믿고 있기 때문입니다.

자연 속의 수많은 물체와 현상들이 법칙의 구속 속에서 아무 갈등을 느끼지 않고 편안한 잠을 자고 있을 때 인간들만이 홀로 완전히 자유를 상상하며, 완전한 평등을 그리면서 진실과 허위를 구별해 보기도 하고 선한 것과 악한 것을 나눠보려 하며 아름다운 것과 추한 것을 규정해 보는 것입니다.

그리하여 때로는 죽음이라는 완전한 어둠 속에서 그 완전한 자유와 평등을 찾아내기도 하고 때로는 인간의 그 위대한 상상에 훼방놓는 것들과의 피나는 투쟁 자체 속에서 자유와 평등을 찾아내기도 합니다. 상상하기 때문에 현실은 고통스러운 것이며 고통하기 때문에 우리는 감히 우리 자신을 돌이나 나무라 하지 않고 인간이라고 부르는 것입니다.

저는 사람들에게 저의 고통을 드리겠읍니다. 다행히 저의 고통이 다른 이들의 고통과 같은 것이라면 저는 행복할 것이고 저의 고통이 다른 이들의 고통과 너무 동떨어진 것이라면 저는 불행할 것입니다.

156

그렇습니다. 인간의 행복이란 자신의 고통과 다른이들의 고통이 같을 때 비로소 태어나는 것이라고 저는 생각합니다.

소설을 쓰지 못하고 있던 지난 수년 동안 제가 살벌한 벌판을 방황하면서 찾아낸 것은 바로 그 세 가지라는 점을 다시 한번 강조하면서 수상연설에 가름하고자 합니다.

즉, 인간이란 상상이다. 상상은 고통을 만든다. 고통을 함께 하는 인간끼리는 행복하다.

새로운 발견이 없는 한 당분간 저는 이 세 가지 재료로 엮어진 도그마에 의해서 작품을 써낼 것 같습니다.

다시 한번 부탁드립니다만, 제 작품은 제 상상이고 제 상상은 저 자신이고 제가 여러분께 드릴 수 있는 것은 그것밖에 없다는 것을 양해하여 주시기 바랍니다. 감사합니다.

1977년 10월 20일 숙명여자고등학교 강당에서

平凡한 意慾

기특하게도 때때로 창작행위에 대한 의욕으로 가슴이 벅차서 밤을 꼬박 새울 때가 있다. 밤을 꼬박 새운대야 머리맡에 메모지와 만년필을 놓아두고 담배를 빨며 천정을 올려다보며 미친놈처럼 중얼거렸다가 웃었다 하는 것이지만, 그래도 새벽빛이 창을 가득히 채우기 시작할 때쯤엔 머리맡에서 우두커니 기다리고 있던 백지(白紙)에 나 이외의 사람들은 알아보기 힘든 글씨가 몇자 적히는 것이다.

「기특하게도」라는 말을 구태여 쓰는 것은 대강 다음과 같은 이유가 있기 때문이다.

다른 작가들은 어떤지 모르지만, 적어도 나로서는 소설 쓰는 일처럼 싫은 일이 없다. 소설 쓴다는 말은 물론 구상(構想)부터 발표까지의 과정을 통틀어 하는 말이겠는데, 나는 그 모든 과정이 싫어 죽겠다. 그런 과정들을 꼼꼼히 거쳐야 한다는 일이 싫은 게 아니라, 그 과정 과정의 내용을 이루는 것들과 대결하는 것이 싫다는 것이다. 우선 구상이라는 한 과정부터 얘기하면 다른 작가들은 원고지 위에 펜을 달리게 할 때가 싫지 작품을 구상하고 있을 때만은 즐겁다고는

하지만, 나로서는 이것 역시 끔찍이 싫다. 조금 심하게 얘기한다면 내가 소설 쓴다는 일을 붙

든 것이 확실히 잘못이었던 것 같다는 것이다. 엄살은 빼자. 그렇다고 다른 재주도 가진 게 없

으니까.

구상이라는 과정을 겪어내는 데도 진땀을 빼는 이유는 대강 다음과 같은 평범하고 단순한 이

유들 때문이다.

첫째, 고백해야 할 것은, 아직 새파란 놈에게 「……에 감동한다」 또는 「……에 감격한다」는

일이 드물게 일어난다는 사실이다. 내가 감동하지 않는 일을 다른 사람에게 감동해 달라고 요

구하며 소설이라고 써낼 수 없는 것은 창작태도(創作態度)의 ABC. 그런데 곤란하게도 감동할

만한 사건 또는 생각이 잘 나지 않는 것이다. 잠깐 딴 길로 들어서서 얘기를 해본다면 감동 또

는 감격이 사라져간다는 사실이 소박하게 「철이 들었으]니까」라고만 얘기할 수 있을까 하는 의

문을 나는 가지고 있다. 무엇인가 커다란 병적(病的)인 이유가 나의 내부분만 아니라 외부에도

있는 게 아닌가 하고 생각 중이다.

구상의 과정에서 두번째로 얘기할 수 있는 것은, 「감동·감격」이라는 것이 대개 가슴에서 일

어나는 현상으로 얘기되는 것이지만, 그러나 내 욕심은 비록 그것이 가슴에서 일어난 것이라고

하더라도 독자의 누선(淚腺)이나 자극하고 그치게 하고 싶지 않은 것이다. 김붕우(金鵬九) 교

수의 말을 빌자면 독자들의 「의식을 긁어놓고」 싶은 것인데 그게 참 힘들다. 좀 게으름을 피우

다 보면, 몇몇 사회과학 분야의 이름난 논문들을 읽는 사람들에게나 자기들이 그 논문들을 읽

었다는 사실을 확인하고 기뻐하도록 해주는 소설밖에 되지 않을 염려가 많기 때문이다. 다시

말하면 얄팍한 지적(知的) 만족감이나 주고 끝나 버리고 말 소설을 열심히 구상하고 있는 어려

석은 내 자신을 발견하는 때가 너무 흔하다는 것이다.

세번째로 얘기할 수 있는 것은, 「이런·정도의 생각이나 얘기는 〈소설계(小說界)〉에도 나온

다는 자기비하(自己卑下)의 느낌과 또 「이런 얘기를 나는 아직 읽지 못했지만 벌써 다른 사람

들이 써버린 건 아닐까」 하는 글쓰는 사람이라면 누구나 가지고 있는 강박관념 때문에 피로움

을 겪어야 하는 것이다.

네번째로 얘기할 수 있는 것은, 「이런 글을 썼다가 당국(當局)에 걸리는 게 아닐까」 하는, 참

으로 내놓고 얘기할 수 없는 걱정이 있다는 것이다. 이 걱정은 마치 사람이 귀신에 대하여 생각

하는 것과 거의 마찬가지 생각일지 모르나 그렇다고는 하더라도 마음이 약해졌을 때 귀신을 생

각하면 공포를 느끼듯이 당국의 어떤 오해에 의한 어떤 사태를 예상하면 등에 식은땀이 나는 것

이다. 당국이라고 반드시 실수를 저지르거나 오해하지 말라는 법은 없으니까 말이다.

작품 구상의 과정에서 받는 피로움에 대해 이 정도로 얘기해 두자. 이런 피로움을 이겨내고

이루어지는 작품이 어쩌다가 한편쯤은 있게 마련이고 그렇게 됐을 때의 즐거움은 그런 피로움

을 보상해 주고도 남음이 있다고 감히 얘기할 수 있으니까.

나처럼 게으른 놈에겐 만년필을 들어 종이 위에 글을 쓴다는 일처럼 싫은 일은 없다. 더구나

소설이라는 괴물을 쓴다는 것은 지겨운 일이다. 도대체 이제까지 몇 편이나 써냈

다고 그런 엄살을 부리느냐고 웃을지 모르나, 많이 쓴 사람만 그런 엄살을 부려도 허용될 수

있다고 얘기할 수 있을까 하는 생각이다. 왜냐하면 한편의 소설은 그전에 썼던 다른 소설의 연

장(延長)이 아니니까 말이다.

종이 위에 머리 속의 얘기를 옮겨놓는 과정에서 생기는 괴로움을 얘기한다면 대강 다음과 같다.

첫째로 얘기할 수 있는 것은 어떻게 하면 할 얘기의 주제(主題)와 맞아들어가는 문체(文體)를 얻느냐 하는 것이다. 흔히 말하는 주제를 효과적으로 나타낼 수 있는 문체 또는 형식을 얻어야 하는 노력이 있게 되는 것이다.

그뿐만 아니라 나의 욕심을 털어놓는다면, 우리나라에는 아직 없었던 형식, 그러면서도 「그 자식 재치를 지나치게 부렸더군」 하는 얘기를 듣지 않을 형식, 그러면서 다음 세대의 작가들에게 좋은 영향을 줄 만큼 우리나라 말의 폭이나 깊이를 추구한 형식이어야 하는 문제가 생기는 것이다. 그러나 나의 욕심이 얼마만큼이나 충족될 것인가! 사실 어떤 한 사람의 말투나 한 작가의 문체란, 즉 그것이 그 사람의 의식(意識)이기 때문에 마치 그 사람의 얼굴처럼 고정되어 버리기가 아주 쉽다. 그런데 의식을 금방금방 바꾼다는 것은 결코 쉬운 일이 아니며, (사실은 그럴 필요도 없을지 모른다) 설령 바꾸어졌다고 할지라도 그것이 반드시 그전 의식보다 더 나은 것인지 어떤지를 자신은 판단하기 어렵다. 물론 시행착오라는 말로써 변명이 될는지 모르나 창작품의 경우엔 작품 한 편이 그 자체로서 갖는 비중이 너무 크기 때문에 작가가 그것을 어떤 커다란 물건의 일부분으로서 취급하기엔 두려운 것이다. 내가 생각하기엔 가장 훌륭한 작가는 일생 동안 단 한 편의 작품을 쓴 사람이다. 그러나 그런 성인(聖人)을 기대하는 것은 거의 불가능한 일이고 결국 얼마나 그때 그때의 자신에게 충실했느냐는 질문에 좋은 대답을 주는 작가도 훌륭하다고 생각하기로 했다.

얘기가 좀 엄숙한 방향으로 발전한 것 같다. 내가 종이 위에 소설이라는 이름의 글을 쓰면서 겪는 괴로움으로서 두번째 것은 언어를 내 의지로써 조정하기 힘들다는 사실이다. 마치 손에도 뇌가 따로 있어서 머리와는 상관없이 손의 뇌가 지시하는 바에 따라 글이 써지는 듯하다. 이 얘기를 어떻게 들으면 「그게 글 쓰는 사람이 글 쓰지 않는 사람과 다르게 가진 재주이다」라고 얘기할 수 있을는지 모르나 나로서는 정말 어리둥절하기만 하다. 말하자면 어리둥절한 상태로 글을 쓰는 것이다. 그러기 때문에 나는 지금 쓰고 있는 것이 확실히 내 생각인지 아니면 어디서 읽은 다른 사람의 생각이 무의식 속에 숨어 있다가 튀어나오는 것인지 알 수 없다는 염려에 사로잡힌다. 이렇게 씌어져서 발표된 글이 설령 많은 독자들에게서 좋은 평을 얻었다고 하더라도 나로서는 마치 아무 목적 없이 휘두르는 편치가 상대편의 급소에 맞아 상대편을 거꾸러뜨린 권투 선수가 느낄 것 같은 느낌을 받는다. 요컨대 그런 어리둥절한 상태 속으로 들어가려면 잠이 들면 악몽만 꾸는 사람이 잠자리 속으로 들어갈 때와 같은 기분으로써 들어가지 않으면 안된다. 오늘 저녁엔 제발 좋은 꿈을 꿀 수 있었으면 하는 소망을 가지면서 잠자리 속으로 들어가는 것이다.

영국의 어느 작가가 「소설은 악마와 함께 펜을 잡고 쓰는 것이다」라는 뜻의 말을 한 것도 그 작가가 어쩌면 나처럼 어리둥절한 상태를 겪었기 때문이 아닐까 하는 생각이다. 그 어리둥절한 상태 속으로 들어가기가 무서워서 나는 뻔히 원고료라는 매력적인 물건을 눈앞에 보면서도 요 핑계 조 핑계로 글을 잘 쓰려 들지 않는 것 같다.

自作解説

읽기에 별로 까다롭지도 않은 소설을 그 쓴 사람이 해설하고 있는 것은 싱거운 짓 같아서 출판사에서 요구하는 「자작해설(自作解説)」을 쓰는 데 몹시 망설였다. 「하나의 작품에는 작자의 몫이 있고 독자의 몫이 있고 신(神)의 몫이 있다」는 앙드레 지드의 말에 나로서는 대찬성인데, 이 말에 내 의견을 덧붙인다면 「한편의 소설은 구상·집필·발표의 과정을 거쳐 독자가 읽어주고 그 독자가 그 소설에 대하여 자기 나름의 의미를 가지게 될 때 드디어 완성되는 것이다」고 하고 싶은만큼 독자가 자기 나름의 의미를 부여하는데 해방을 놓기 쉬운 「자작해설」따위는, 내 생각으로는 그야말로 사족(蛇足)인 셈이다. 하면서도, 「독자에게 친절을 큰 의무로 알고 있는 출판사측의 요구가 저렇게 심하니 해설이라기보다 이 책에 실린 작품 한 편 한 편들의 모티브나 밝히고 그 언저리 얘기나 씀으로써 「자작해설」에 대신하겠다.

「건(乾)」은 1962년, 대학 3학년 때 김현·최하림(崔夏林)과 〈산문시대(散文時代)〉라는 문학동인지 발간을 준비하고 있을 때 쓴 것이다. 세 사람이 각각 소설 두 편씩을 써 싣기로 하였는데 내 경우, 한편은 그 해 정월에 《한국일보》 신춘문예에 당선된 「생명연습(生命演習)」의 재수록(再收錄)이고 다른 한 편이 이 「건」이다.

이 작품은 당시 출판되어 우리 문학 지망생들에게 상당한 영향을 주었던 신구문화사(新丘文化社)의 《세계전후문제작품집》 중 《일본전후문제작품집(日本戰後問題作品集)》에 실린 오오에겐 사부로(大江健三郎) 씨의 「사육(飼育)」을 읽을 수 있었던 덕택에 쓸 수 있었다. 그 작품의 문체에 의하여 문득 나는 내 어린 날의 모든 경험을 재검토하게 되었고, 내 성장의 정신적 풍토를 추체험(追體驗)하게 되었다.

이 작품 속의 방위대 본부에 대한 빨치산의 습격, 소각(燒却) 사건은 실제로 내가 순천(順天)에서 자라면서 겪었던 사건이고, 내가 자란 정신적 풍토는 실제로 친척 중의 한 사람은 빨치산이고 다른 한 사람은 빨치산을 잡아죽여야 하는 경찰이란 식의, 사상(思想)의 횡포(橫暴)가 우리의 전통적 인간 관계 위에 군림하는 것을 피부로 느껴야 하는 곳이었다. 사상과 조직은 적어도 나의 경우 인간을 살게 하기 위해 있는 것이 아니고 인간을 죽이기 위해서 있는 것으로 생각되었다. 이 생각은 많은 세월이 지나갔고 어떤 의미건 내 나름의 사상을 가지게 된 지금의 나의 내면 밑바닥에도 무겁게 버티고 있는 것 같다.

「염소는 힘이 세다」는 1965년(?) 《자유공론(自由公論)》 창간호에 그때 그 잡지의 기자이던 김영태(金榮泰) 씨의 하명(下命)으로써 발표한 작품이다.

산문시(散文詩)를 쓰고 싶다는 것은 지금까지도 내가 갖고 있는 욕망 중의 하나인데 이 작품에서 그 욕망을 처음 시도해 보았으나 단순한 단편소설로 끝나버린 것 같다. 나의 다른 소설들과 마찬가지로 이 작품 역시 「서울에서 산다는 것」에 대한 작고 부분적인 연구이다.

「무진기행(霧津紀行)」은 1963년 〈사상계(思想界)〉에 그때 그 잡지의 문화 담당이던 한남철(韓南哲) 씨의 하명(?)으로써 실린 작품이다. 그해 2월, 나는 학점미달(學點未達)로 대학교 졸업을 못하고 한 학기 더 다녀야만 하게 되어서 몹시 우울했다. 9월에 시작되는 2학기에 등록을 하기로 하고 일단 휴학계를 내고 고향으로 내려가서 이불을 뒤집어 쓰고 소설이나 끄적이며 지냈다. 그때 문득 든 생각은 「왜 나는 서울에서 실패하면 꼭 고향을 찾는가」 하는 것이었다. 그한 줄의 생각이 이 작품의 모티브이다. 그러나 지극히 개인적인 체험만 가지고 보편성을 가져야 하는 소설을 쓴다는 것은 이만저만 뻔뻔스러운 짓이 아닌 것 같아서 그 한 줄의 생각을 내바로 앞 세대에 속하는 이들의 한가지 특징이라고 내가 생각하고 있는 도피주의(逃避主義), 그 행동양식(行動樣式)에 결부시켜 소설로 형상화(形象化)해 보려고 한 것이 이 작품이다.

작품 속의 「술상머리에서 유행가를 부르는」 음악 선생님은 고향에서 이 작품을 쓸 무렵에 실제로 내가 우연히 보았던 풍경이었다. 서울의 경희대학교(慶熙大學校) 음악대학을 졸업하고 순천의 모 고등학교에 갓 부임한 여선생이었는데, 우연한 자리에서 유행가를 부르고 있는 모습을 보니까 「우리나라에서는 대학교육을 받는다는 것이 도대체 무슨 의미를 가질 수 있다는 말인가」하는 생각이 들어 몹시 딱해 보였던 기억이 난다. 이 작품과 관련된 또 하나의 기억은 이 작품

168

의 원고를 잡지사에 우편으로 부치기 전에 마침 동인지 인쇄 관계로 전주(全州)에서 모인 김현, 최하림에게 이 작품을 낭독하여 들려주고 강평(講評)을 청했더니 「별로 좋은 것 같지 않다. 발표하지 않는 게 좋을 것 같다」고 하여, 나 역시 몹시 미심쩍고 탐탁치 않던 차에 그만 찢어버릴 작정이었으나, 잡지사 한남철씨에게 약속한 기일 안에 원고를 써보긴 했다는 표시는 해야 할 거 같아서 「제발 잡지에 싣지 말고 돌려보내 주시면 다음에 좋은 글 써 보내겠읍니다」는 편지와 함께 부쳤던 것이고 한남철씨는 내 부탁 편지 같은 건 아랑곳하지 않고 잡지에 발표해 버렸던 것이다. 그런데 뜻밖에도 독자들에 의해 이 작품이 오늘날까지도 내 대표작처럼 되어버렸다. 「멋모르고 내휘두른 편치에 상대방이 녹다운됐다는」 표현이 있지만 이 작품에 대한 반향 앞에서 나야말로 그런 자의 어리둥절함을 느껴야 했었다. 아마도 내가 가장 우울했던 시기에 가장 순수한 슬픔만을 가지고 쓴 데에서 이 작품은, 내 자신은 미처 못 알아본 어떤 호소력을 우울한 생활을 하고 있는 사람들에게 갖게 된 게 아닌가 하고 생각해 본 적이 있다.

「차나 한 잔」 역시 「무진기행」과 함께 쓴 작품이다. 〈세대〉의 편집장 이광훈(李光勳)씨의 하명으로 쓴 것인데, 그때까지의 서울 생활 4년을 통하여 내가 느꼈던 도시문화인(都市文化人)의 불안을 희화적(戱畵的)으로 써보려 했던 것이다. 나는 60년도, 대학 1학년 2학기 때, 걸핏하면 애 머리통을 쥐어박아야 하는 가정교사 노릇보다는 나을 것 같아서 아르바이트로 〈서울경제신문〉에 「파고다 영감」이라는 매일 연재 만화를 그리고 있었는데, 그때의 작은 경험이 이 작품을 쓰는 데 큰 도움이 되었다.

『환상수첩(幻想手帖)』은 1962년 〈산문시대(散文時代)〉 제2집을 위하여 쓴 작품이다. 특별히 말할 만한 작품의 모티브는 없으나 나로서는 등인지에 발표한다는 느슨한 기분 덕택으로 나의 센티멘털리즘을 실컷 쏟아 넣을 수 있었던 작품이다. 센티멘털리즘이 무척 많이 마멸(磨滅)되어 버린 지금 후회되는 것은, 쓸 수 있었을 때 이런 작품을 좀더 많이 써놓을 걸 하는 것이다. 그때 우리의 동인지 〈산문시대〉를 아무 보수도 받지 않고 인쇄해 주던 인쇄소는 전주(全州)의 가림인쇄소(嘉林印刷所) 였는데 제2집 인쇄를 위하여 전주에 가 있는 한 달 동안 남문(南門) 부근의 싸구려 여인숙 한 방에서 강호무(姜好武)의 재촉을 받아가며 이 작품을 써내던 일이 그립게 생각한다.

등인지에 발표된 직후 문리대 안의 학우들, 특히 지방 출신 학우들이 마치 자신의 애기를 대신 써준 듯하다고 공감을 표시해 왔을 때 나는 태어나서 처음으로 글 쓰는 기쁨을 느낄 수 있었던 것도 기억난다.

『누이를 이해하기 위하여는 1963년 역시 〈산문시대〉 제5집을 위하여 전주에 갔을 때 신석상형(辛錫祥兄)의 방에서 쓴 작품인데 그 무렵 나는 수년 동안 사랑했던 여자가 자기 부모들의 강요로 다른 남자와 결혼해 버린 일로 몹시 앓고 있던 중이라 제대로 뼈대를 갖춘 소설 같은 걸 쓰고 있을 정신 상태가 아니었다. 도대체 조리정연(條理整然)한 모든 것은 나하고 아무 관계가 없어 보였다. 조리를 갖춘 소설 역시 사기(詐欺) 같았다. 그런 상태에서는 이런 형식의 작품 이상으로 조리 있는 작품이란 써어지지 않았다. 이 작품은 애당초 연작(連作)의 한

170

부분으로 시작한 것인데 이제나 그제나 뒤가 무른 성미 탓에 나머지 부분들은 메모만 쌓였을 뿐 아직 시작도 못 하고 있다. 언젠가는 완성하여 따로 한권의 책으로 묶고 싶다.

「확인(確認)해 본 열다섯 개의 고정관념(固定觀念)」은 「무진기행(霧津紀行)」과 「차나 한 잔」을 쓸 무렵, 고향집에서 아름다운 황혼의 하늘을 바라보고 앉아 있다가 문득 상(想)이 떠올라 책상 앞에 앉아 단숨에, 3시간 동안에 써버린, 나로서는 가장 빠른 시간 안에 쓴 작품으로서 나의 기억에 남아 있다. 발표는 〈산문시대〉에 했다.

「역사(力士)」를 쓴 것은 1962년 여름이었으나 발표된 것은 다음해 여름 〈문학춘추(文學春秋)〉에서였다. 모티브는 오래 전에 써둔 한 장의 메모였다. 작품 중에 나오는 「빈민가에 저녁이 오면 꽁기는 더욱 탁해진다. 멀리 도시 중 심부에 우뚝우뚝 솟은 빌딩들이 몸뚱이의 한편으로는 저녁 햇빛을 받고……」로 시작되는 부분 이하의 한 절이 그 메모인데, 그것은 언젠가는 작품 속에 끼워 넣고 싶은 생각으로 하나의 풍경 묘사로서 해둔 메모였다. 거꾸로 말하자면 이 메모를 써먹을 만한 작품을 구상하기 시작한 것이 「역사」의 모티브이다. 또 하나는 만일 우리 작품이 외국어로 번역되어 외국인에게 읽힐 경우 그 속에 다소 우리의 눈에는 비사실적(非寫實的)인 것도 외국인의 눈으로 보면 사실적(寫實的)으로 보일 수도 있지 않겠는가. 가령 로벨라이라는 바위가 독일에 가 보지 않은 우리의 상상 속에서는 굉장히 장엄한 바위로 생각되듯이, 하는 생각으로, 다시 말하면 외국인의 시점(視點)으로써 이 작품의 소재를 검토했을 때 나는 대담한 메포르마슝을 시도할 수 있었다. 동대문 성벽의 석피(石坡) 옮겨놓기 따위로 말이다.

이 작품의 발표 과정에서 잇을 수 없는 에피소우드가 있다. 그때 나는 신춘문예 당선도 했것

다. 동인지에 작품 발표도 했것다. 내딴엔 기성작가(旣成作家)라고 자처하고 이 작품을 강의

시간도 빼먹고 대학교 도서관에서 며칠 걸려 써가지고 쓰차마자 학교와 가까운 거리에 있는 현

대문학사로 달려가 구면(舊面)인 편집부의 김수명(金洙鳴) 여사에게 내밀고 원고료와 바꾸자

고 했더니 『일단 두고 가라. 실을지 안 실을지는 내용을 검토하고, 난 후에』라고 말하는 것이었

다. 원고료를 받으면 우선 실컷 먹자고 잔뜩 기대하며 김현, 최하림까지 끌고 간 터에 그런 대

답은 김 팍 새는 것이었으나 할 수 없는 일이었다. 며칠 후, 오라는 날에 다시 갔더니 주간(主

幹)이신 조연현(趙演鉉) 선생께서 『우리 잡지에서는 신춘문예 당선을 우리 잡지 추천제(推薦制)

의 한번 추천으로 인정하고 있으니 이 작품으로 나머지 한번의 추천을 받으면 우리 잡지에서는

그때부터 기성작가로 대우해 주겠다』는 것이었다. 그때까지도 비록 소설 비슷한 걸 끄적이고

동인지 활동도 해보고는 하지만 직업적인 소설가가 되겠다는 생각은 조금도 하지 않고 있던 나

로서는 뭔가 재갈을 물리는 듯한 역겨움을 느꼈고 조선생의 권위주의에 대한 반발감 때문에 아

뭇소리 않고 뭉치를 도로 받아가지고 나와버렸다. 속으로 「앞으로 내가 소설을 쓰는 동안엔 〈현

대문학〉엔 결코 소설 발표를 하지 않겠다」고 다짐했는데 그 다짐은 지금까지 지켜지고 있다. 지

금 생각하면 뭐 그렇게 앙심을 먹을 일은 아니었다고 생각하지만, 그러나 그 다짐을 계속 지켜

나가고 싶은 이유는 그 만한 작은 다짐이라도 하나쯤 가지고 있는 쪽이 재미있게 살아가는 방법

이 아니겠느냐 하는 생각 때문이다.

이 작품은 그후 〈세대〉의 이광훈(李光勳) 형에게 맡겨보았으나 역시 이름 없는 작가의 작품이라는 이유로 실리지 못하고 이(李) 형의 책상 서랍 속에서 썩고 있는 것을 도로 찾아다가 휴학하고 고향으로 내려가는 날 밤 황순원(黃順元) 선생께 맡기면서 『현대문학(現代文學)』이 아닌 잡지라면 어디든지 좋으니 선생님께서 소개해 주실 수 있는 잡지에 발표할 수 있도록 해주십시오』 부탁했고 그랬더니 다음해 여름에 전봉건(全鳳健) 선생이 편집하던, 창간된 지 얼마 안 된 〈문학춘추(文學春秋)〉에 실려서 드디어 햇빛을 보게 되었다. 말하자면 「역사」는 나로 하여금 문단 초년생의 설움을 톡톡히 맛보게 하고 최초의 동인지가 아닌 상업지(商業誌)를 통한 최초의 작품발표의 기쁨을 맛보게 하고 최초의 원고료를 받아보게 한 작품이다. 또한 이 작품에 대하여 발표된 다음 달 월평(月評)에서 유종호(柳宗鎬) 씨가 퍽 요란한 칭찬을 해주셨는데 평론가로부터 최초의 작품평을, 그것도 호평을 받아보게 한 작품으로서 「역사」는 나에게 역사적 의미가 있다고 하겠다.

「서울, 1964년 겨울」은 1965년 〈사상계〉의 역시 한남철씨 하명으로써 발표한 작품이다. 신촌 이화여대 뒷마을에 있던 오태석(吳泰錫)、고행자(高幸子)의 방에 끼여 지내면서 다방 같은 데서 틈틈이 노우트에 써대던 기억이 새롭다. 이 작품으로 그 해 동인문학상(東仁文學賞)을 받게 되어 갑자기 신문에 사진이 실리는 등、화제작가(話題作家)가 되어 얼떨떨해 하던 기억도 생생하고、고행자가 이 작품과 동인문학상을 두고 한꺼번에 『야、사기다 사기!』 하던 말도 생생하다。이 작품의 모티브는 단순했다。「재미있는 유우머 소설을 한 편 써보자。」

「야행(夜行)」은 1966년 〈월간중앙〉의 한남철씨 하명으로써 발표한 것이다. 생각해 보면 우리나라 문단(文壇) 사정으로는 한 작가는 자기를 아껴주는 편집자를 만나게 되면 큰 행운 이라고 할 수 있는데 나에게 있어서 한남철씨가 바로 그런 고마운 분인 것 같다. 한동안 영화 계 쪽 일에만 매달려 지내느라고 소설을 쓰지 않는 내가 보기에 딱했던지 그 역시 잡지 일에 매 달려 소설을 자주 쓰지 않는 한남철씨가 어느 날 우리 집에 와서 이틀씩 옆방에 이불을 깔게 하 고 누워 버티며 억지로 쓰게 만들어 나온 작품이 바로 이 「야행」이다.

모티브는 무엇이었는지 뚜렷한 기억이 없으나 아마도 메모 상자를 뒤적여 몇 개의 메모를 조 립하여 구상하기 시작했던 것 같다. 나로서는 항상 여러 앵글에 의하여 여러 의미가 추출될 수 있는 소설을 쓰는 것이 작품 쓸 때마다의 포부인데, 이 작품 역시 월남참전(越南參戰)에 대한 우리 국민의 태도에 대하여 야유를 한다는 보물찾기 쪽지를 숨겨놓고 소설언어(小說言語)의 살 을 입힌 것이지만 지나치게 형상화해 버린 탓인지 모두들 단순한 풍속소설 또는 여성 심리소설 로만 보고 있는 것 같다.

이 책에 수록된 작품들을 읽어주신 분들이여, 제발 다시 한번 부탁드리지만, 이 따위 너절한 잡담이, 작품 자체가 당신들께 속삭여준 얘기를 맛없게 해버리지 않도록!

174

作家와 批評家의 現實的 遠近論

이 「문단로비」라는 난은, 누가 생각해 냈는지 참 잘 생각해 냈다는 생각이 든다. 문인들의 정신위생을 위해서도 좋고 다른 페이지들을 아끼는 뜻에서도 좋을 것 같다.

글 쓰시는 분들을 만나면, 한국 문인사회의 전통적 규범에 따라, 으례 술집으로 몰려가서 한 바탕 떠들곤 하는데 그런 자리에서는 또 으례 별의별 불만, 별의별 비방, 별의별 칭찬, 별의별 아이디어가 쏟아져나온다.

그것들 중에는 본격적인 작품이 되기에는 좀 그렇고 그렇다고, 한 귀로 듣고 한 귀로 흘려버리기엔 좀 아까운 느낌이 드는 얘기도 퍽 많다. 그런 얘기들을, 입으로 흘려버릴게 아니라 글로 써서 이런 난에 발표하면 술집에서처럼 가슴도 후련해지고, 그러나, 술집에서와는 반대로 돈도 생기고 할 테니 조옴 좋은가!

뿐만 아니라, 가뜩이나 적은 월평란(月評欄)에서 작품평이 아닌, 매우 개인적인 얘기를 하고 있는 비평가와、 뾰족한 테마 없이 자기 주변의 얘기를 늘어놓은 소설을 쓰고 있는 소설가들은 그 지면을 다른 분에게 양보하고 이 난에 그 얘기들을 쓰시는 게 좋을 것 같다.

그런데 월간문학사(月刊文學社)에서 일하고 있는 이문구(李文求)형의 하소연을 들어보면, 이 난의 글 부탁을 받는 분들, 열에서 여덟 정도는 펄쩍 뛰며 손을 내젓는다는 것이다. 특히 소설가들이 그렇고 소설가들 중에서도 나처럼 요즘 작품생산 성적이 썩 좋지 않은 이들이 특히 그렇단다. 이해할 수 있는 일이다.

그러나 이 난을 쓰는 사람이나 읽는 사람이나 술집 정도로, 또는 「로비」라는 뜻 그대로만 생각하기로 하면 뭐 펄쩍 뛰며 모욕당했다는 얼굴까지 할 필요는 없을 것 같다. 또 설령, 자신은 정신위생 관리가 잘되어 있는 덕택에 이런 난을 빌고 싶지 않다 할지라도 이 난 자체나 이 난을 비는 이들을 비웃어서는 안될 게다. 비웃는 분은 도량이 넓은 신사가 아니고 신사가 아니면 대개 이 난을 이용할 자격이 있는 분일 게다.

하기야 어떤 분들은 자칫 잘못하여 주사(酒邪)가 심한 이를 만나 싸움에 말려들까봐 술집을 피하기도 한다.

나 역시 싸움은 질색이다. 하지만 술집에서 벌어진 싸움판에서는, 다리야 날 살려라 도망친다고 해서 비겁하다고 하는 사람은 없다. 싸움이 벌어질 듯한 눈치가 보이면 도망쳐 버린 이쪽이 하고 싶은 말이나 실컷 하고 도망쳐 버리는 것이다. 아니 미처 다 말하기 전에 상대편의 주먹이 날아오면? 아쉽겠지만 역시 도망쳐 버리자.

물론 이런 짓이 엄숙한 회의실에서는 용서받을 수 없다. 독백하고 싶은 사람들이 모이는 술집이니까 가능한 것이다. 회의실이란 엄숙한 어느 목적을 향하여 대화를 하는 곳이고, 대화도

중에 회의실을 나가버리는 이는 비겁하다는 말을 들어도 싸다. 비겁이라는 말이 나왔으니 말이

지 회의 도중에 자기 의견과 다르다고 흥분하여 날뛰는 것 역시 비겁한 짓에 속한다. 회의실 옆

엔 으레 휴게실이 있게 마련인데 그 까닭은 회의실을 보다 회의실답게 하기 위해서이다. 회의

중엔 흥분을 참았다가 휴게실에서 터뜨리면 회의도 방해되지 않고 자신의 건강도 좋을 것이다.

또, 이 난의 집필자가 되기를 꺼려하는 분들 중에는 입으로 지껄이는 것은 비교적 책임지지

않아도 좋은 말이고 여기에 써야 하는 것은 글인데 글이라면 작품을 쓰지 이런 잡문(雜文)을

쓰지 않겠다는 생각을 가진 분도 있는 모양이다. 털어놓자면, 나 역시 그런 생각이 옆구리를

쿡쿡 찌르는 바람에 주춤주춤 했다. 하지만 가만히 생각해 보니 그 생각이 전적으로 옳지만은

않은 것 같다.

조금 다른 얘기가 될지 모르지만, 우리나라 소설가들 사이에는 잡문 컴플렉스가 없지 않은듯

하다. 이 고상한 컴플렉스를 전염시킨 장본인은 내가 알기로는 우리 모두가 작가로서 진심으로

존경할 수·있는 황순원(黃順元) 선생이신 모양인데, 실제로 나는 어느 신문기자가 『난 그분이

잡문을 안 쓰기 때문에 좋더군』하고 말하는 것을 들었고 많은 문인들이 그분의 그 점에 대하

여 존경의 뜻을 표하며 자신도 본받아야겠다는 표정을 짓는 것을 보았다.

그러나 그런 표정을 짓기 전에 잠깐 생각해 봐야 할 게 있다. 『나는 존경을 받고 싶다.』그런

데 잡문을 안 쓰니까 존경받더라. 이것은 좀 곤란한 얘기가 아닐 수 없다. 아마도 황선생께서

는, 뭐 존경받자고 잡문을 안 쓰시는 건 아닐 게다.

언젠가 그 점에 대해서 여쭤봤더니, 『이 사람아, 소설에 쓸 소재를 흘려버리게 되잖나!』하

시며 웃으시는데, 이건 물론 약간만의 진심이 섞인 농담이었을 것이다. 그것만이 잡문을 쓰지 않는 이유라면, 선생께서는 소재를 찾으려고 애쓰는 점에서 매우 게으름뱅이시며, 선생이 잡문을 안 쓰신다는 점에 대하여 존경하는 이들은 결과적으로 게으름뱅이기에 존경한다는 묘한 짓을 하고 있는 셈이 된다.

내 생각으로는, 내 경험에 비추어 선생의 진심을 짐작해 보면, 잡문에는 많든 적든, 크든 작든, 쓰는 사람의 의견 또는 주장이 아니 들어갈 수가 없는 법인데 글로 나타낸 의견이나 주장이란 술김에 한 말과는 달라서 그 쓴 사람이 앞으로 무슨 생각이나 일을 하는 데 굉장한 구속이 되고, 구속이란 대부분이 얌전한 사회인이 되기 위해서는 자꾸자꾸 필요할지라도 소설제작에는 신통한 노릇을 해주지 않기 때문이다. 잡문을 안 쓰는 한이 있더라도 소설 쪽을 아낀다는 선생의 태도가 소재 운운보다는 아마 이런 뜻에서이리라. 그래야만, 적어도 나는 선생께 드리는 존경에 안심이 된다.

무슨 얘기를 하려고 했던가? 아, 잡문 얘기였지.

그런데 한편으로, 잡문 안 쓰는 분들을 존경하는 이들의 대부분은, 당연한 일이겠지만, 잡문 쓰는 분들에 대하여 퍽 심한 경멸감을 가지고 있는 것 같다. 이 현상은 문인들 사이에서뿐만 아니라 대학 교수들 사이에서도 보이는 모양이다. 하기야 잡문 쓸 시간이나 여유가 있으면 전공에나 좀더 열심하라는 뜻의 비웃음일 게다. 그러나 현실적으로 잡문 쓸 여유가 없는 정도의 전공이란 별로 혼하지 않다. 가능하다면 전공도 열심히 하고 잡문도 열심히 쓰는 게 좋을 것이다. 아주 나빠서 무해무익(無害無益)할 정도의 것이라면 많을수록 좋다. 선조로부터 물려받은

178

우리의 피 속에는 아마 많은 재산에 대한 공포증도 있는 모양인지 아주 다급하게 필요한 것외의 나머지는 따져보지도 않고 해로운 걸로 생각해 버리는 버릇이 우리들 사이에 없지 않다. 이러다간 별수 없이 가난할 수밖에 없다. 좀 이상하고 듣는 편에서 보면 코웃음쳐 버릴지도 모를 고백이지만, 지난 몇년간 이른바 「슬럼프」라는 것에 걸려 작품을 거의 생산하지 못하고 낑낑대오는 동안 내가 우리 문화에 대하여 가장 미안하게 생각한 것은 바로 무해무익한 작품이라도 써서 문화의 양(量)에 보탬이 되지 못하고 있구나 하는 점이다. 물론 이 미안한 느낌이 나의 가해망상증(加害妄想症)을 이겨내지 못했기 때문에 슬럼프라는 병이 낫지 못하고 있기는 하지만 그 미안한 느낌은 꽤 크다.

요컨대 많다는 건 좋다고 나는 생각한다. 춘원(春園) 선생의 글도 실제 남겨진 양보다 더 많았으면 좋겠고, 동인(東仁) 선생의 글도 더 많았으면 좋겠고、다른 모든 분들에 대해서도 그렇다. 그 글이 작품이든 잡문이든말이다. 좀더 많았더라면 우리는 좀더 부자일 게고 좀더 적었더라면 우리는 좀더 가난할 게다.

그런 뜻에서도 이 「문단로비」라는 난은 쓸모가 있다. 그런데 문득 어디선가 말하고 있는 것같다. 「그래、너나 많이 써라、많이 써!」 제발 그러지는 마시기를!

슬슬 취해 온다. 주정이나 해보자.

작년에 또、근대문학이 시작된 이후 우리 비평계의 만성병이 돼버린 느낌인 이른바 「현실참여대 순수」논쟁이 도지고 김주연(金柱演)형이 〈68문학〉에 「소시민(小市民)」이라는 평론을 발

표하고 나서 공부한다고 미국으로 가버리고 난 후, 들려오는 소문이 하 험악해서 나는 영향력
있는 잡지나 신문들을 폐 열심히 찾아 읽었다. 나처럼 문학의 초년생(初年生)에게는 그런 논쟁
들이 퍽 대단한 걸로 보인다. 별다른 논쟁이 없으니까 더욱 그렇고, 몸소 싸우는 건 달가와하
지 않지만 싸움 구경을 좋아하는 질이. 낮은 성격 때문에 더욱 그렇고, 그런데 그 싸움거리들
중엔 내 이름도 슬쩍슬쩍 섞여 있으니 더욱 그렇다.

언젠가 서정인(徐廷仁)형께서 제임스 조이스 선생에 대한 얘기를 하시던 가운데 「밖에선 사람
들의 작품을 놓고 이러쿵저러쿵하고 있을 때 그 작품을 쓴 사람은 방안에서 손톱을 깎고 있다」
는 뜻의 얘기를 들려주었는데 그때 그 작가의 태도를 굉장히 기뻐하던 나로서는 내가 싸움거리
들 중의 하나가 되어 였는 부분에 대해서는 신경을 쓰고 싶지 않았다.

또 내가 보기엔 반드시 그렇지만도 않은 몇몇 작가들을, 사회의식이 없다, 현실의식이 없다,
기교파다, 언어파다, 연(軟)파다, 해독을 끼친다 등등의 표현으로 몰아치고 있는 이른바 「현실
참여파들이 내세우는 궁극적인 주장들이란 그분들이 그렇지 않아 보이는 작가들까지 마치 자
기네의 적인 양 몰아치는 잘못을 저지르고 있다는 점은 떼어서 생각하기로 하고, 옳고 또 옳았
다. 그분들의 궁극적인 주장이 옳다고 생각하면서 그러나 한편으로, 세상에 어느 작가치고 현
실의식 없이 작가된 사람이 어디 있을까, 그런 의식 없이 원고지 위에 글이 씌어질 것인가, 화
법(話法)이 다르고 표현이 다르고 소재가 다르고 다루는 현실이 부분적일 수는 있어도 현실의
식 없는 작품이란 있을 수 없지 않은가, 그분들이 비난하는 표정으로 말하는 기교니 언어니 하
는 건 어째서 그분들의 궁극적인 주장의 적이 된단 말인가, 왜들 이렇게 펏대들일까, 움츠러드

는 작가들에 대한 주의환기 정도라면 어차피 새로운 얘기는 아니니까 옛날 얘기도 해가면서 좀

부드럽게 요점이나 얘기하면 그만 아닌가, 두고 보면 싹수머리 있을 이들까지 싹둑싹둑 잘라가

며 팻대들일까, 육성(肉聲)이 아닌 암호를 사용한다고 해서 의미가 달라질 수 있단 말인가, 암

호를 사용한다는 점 때문에 작가이기도 한 게 아닌가, 암호의 판독(判讀)에 대한 책임은 받는

쪽에 있지 않는가, 의미에 대한 시비는 우선 옳게 판독이나 해놓고 봐야 할 게 아닌가. 가만있

자, 이렇게 팻대들인 가닭은 심심한데 또 싸움이나 붙여보자는 신문 잡지의 편집자들의 장난에

말려들어서는 아닐까, 새로운 싸움에는 자신이 없고 이런 싸움은 해본 가락이 있거나 적어도

구경한 바 있어 싸우는 법을 알고 있기 때문은 아닐까. 또 싸움의 결과는 신통치 않다는 것도

빤히 알고 심지어 이런 싸움이 무의미하다고까지 생각하면서도 다만 싸우고 난 후에 얻는 장점

특히 대중들이 보다 친근감을 느끼고 알아주며 보다 필요하고 유식한 투사처럼 보아줄 수 있다

는 점 때문에 싸우는 건 아닐까, 그러기에 유리한 편에 미리 붙어서 상대를 만들어 싸움을 거

는 건 아닐까. 가만 있자, 아무리 주정이라지만 이런 얘기는 좀 지나쳤다. 도무지 순진치가 못

하다. 순진하지 못해서 늘 욕을 먹으면서 또……

김주연형의 오만한 글에서 비롯된 「소시민」 논쟁은, 시작은 김형의 글의 의미와 관계없는 오

만하다는 태도 자체에 대한 반발에서 나온 듯한 인상이 없지 않지만, 결과적으로 쟁점 자체에

집중되어 유지된 논쟁이라는 점에서, 누구 얘기가 옳았던 간에, 꽤 기분좋은 것이었다.

아니, 지금 내가 무슨 총평(總評)을 하고 있는 건가? 그만두자. 이런 얘기는 회의실에서나

할 문제다. 주정이나 해라, 그래, 주정이나 하자.

작년엔 「60년대를 보낸다」는 특집들도 참 많았다。그중 어느 잡지의 어느 글에서 정창범(鄭

昌範) 선생께서 나에 대하여 애정어린(나는 그렇게 보았다) 충고를 하고 계셨다。뭐 모두 고개를

숙이고 듣고 있어야만 할 글이었는데 그중의 한 마디에 대해서만은 고개를 번쩍 들지 않을 수

없었다。「세상을 깜짝 놀라게 해주기 위해서」내가 소설을 쓰고 그럴 자신이 없으면 글을 쓰지

않는다는 뜻의 말씀이었다。나도 소설을 쓸 수 있는가 하며 끙끙거리느라고 으틈피운

결과가 됐지만 글 안 쓰는 이유를 이런 식으로 생각해 준다는 것은、어떻게 보면 몹시 기대하

고 있다는 격려의 뜻이라고 할지도 모르지만、여간 난처한 말씀이 아니다。남을 깜짝 놀라게

해주고 싶다는 심리는 정신병에 속한다。물론 엄밀하게 진단해 보면 내가 정신병자일는지도 모

르긴 하지만、소설을 써서 발표하는 과정에서는 다행히도 그런 증세가 나타나 본 적이 아직 나

한테는 없었다는 것을 말씀드리고 싶다。모르긴 하지만 아마도、모든 작가들이 세상을 깜짝 놀

래주기 위해서 또는 그래 주기를 바라면서 자기 작품을 발표하지는 않을 것이다。자기 작품의

약점을 누구보다도 의식하면서、자신없이 망설이면서 때로는 원고의 재촉 때문에、때로는 자

신의 능력으로써는 이 이상 더 어쩔 수 없다는 체념 때문에 눈 딱 감고 발표해 버릴 것이다。

적어도 나는 그래 왔다。그러다가 자신은 깨닫지 못한 자기 작품위 좋은 점이 비평가 또는 독자

에 의해서 발견되어져 그 점만이 강조되어 찬사를 받게 될 경우엔 뭐 당연하다는 표정을 꾸며

보긴 하지만 내심 으쓱거려 보고 싶기도 하고 한편 그보다 더 세차게 낯이 뜨거워지기도 한다。

오히려 깜짝 놀라게 되는 것은 이쪽인 것이다。그러다가 보면 깜짝 놀라게 해주고 싶다는 생각

만으로 소설을 쓰게 되는 게 아니냐는 염려를 정창범께서는 하신 것 같다。그럴지도 모른다。

나로서는 아직 그런 경험을 해보지 못했다. 이것은 거짓없는 주정이다.

나의 경우 소설이 잘 안 써지는 이유는…… 이러고 보니 황순원 선생의 농담도 그냥 농담이 아

니었던 것 같다. 이런 얘기는 소설 속의 어느 인물에게나 시키려 했던 것인데 흘려버리게 되

나 보다. 뭐 재탕(再湯)해도 괜찮겠지…… 나의 경우 소설이 잘 안 써지는 이유는, 창피함을 무

롭쓰고 털어놓자면, 소설을 쓰는 동안 염습해 오는 비현실감 때문이다. 가령 아내가 현실적인

몸을 움직여서 현실적인 에너지를 소모해 가며 지어주는 현실적인 밥을 먹고 앉아서 형채도 없

고 있다고 믿기에도 자신이 서지 않는 이미지를 펜으로 붙잡아 보려고 허둥대는 내가 너무나

비현실적으로 느껴지며 내 자신이 한 개의 깃털처럼 가벼운 허깨비로 보이는 것이다. 이런 비

현실감은 나로서는 아직은 견디기 힘들다. 거기에 비하면 차라리 소설이 안 써져 초조하고 불

안하고 구상한답시고 밤을 새우고 하고 있는 편이 훨씬 현실감이 있어서 견딜 만하다. 물론 하

루 빨리 그 비현실감에 견딜 만큼 익숙해져야 하겠지. 따지고 보면 소설을 쓴다는 것은 또는

시를 쓴다는 것은 결코 비현실적인 일이 아니고 비현실적으로 느끼는 건 단순히 정신 노동자들

이 육체노동자들에 대하여 본래적으로 느끼고 있는 컴플렉스 때문만일지도 모른다. 그나저나

그 비현실감을 이겨내지 않고서는 내가 작가가 된다는 건 싹수가 노란 것 같다.

자, 한마디만 더 주접떨고 나도 이 술집에서 나가기로 하자.

현역 비평가들과 얘기하고 싶다. 비평가들이 큰 일이든 작은 일이든 작가들을 향해 요구하는

얘기는 많아도 작가 쪽에서 비평가들을 향해 뭔가 요구하는 얘기는 그다지 혼치 않은 것 같다

나는 「현역 비평가」들이라는 퍽 막연한 대상을 좀 나무라려고 하는데 그렇다고 그분들이 여태까지 나무람 받을 짓만 해왔다는 얘기는 물론 아니다. 최근 비평가들의 글들을 읽으며 느낀 내 나름의 격정을 「70년대 문학을 위한 나의 제언」이라는 뜻도 곁들여 얘기하고 싶고 다짐받고 싶은 것이다. 내 나무람에 대한 사나운 반발이 있다면 앞에서 말했듯이 나는 멀찌감치 도망해 버릴 작정이다. 자, 짖자.

좀 건방지게 들릴지도 모르는 말로 하라면 창작가들이 비평가들의 존재를 묵인해 두는 가장 큰 이유는 그들을 무시해 버리거나 경멸해 버리거나 또는 그들이 중간상인이나 심판자로서의 효용가치가 있기 때문이 결코 아니라 창작품은 비평에 의하여 완성되는 것이라는 굳은 믿음이 있기 때문이다. 아무리 이걸로써 충분히 완성돼 있다고 자신하며 작품을 발표하는 작가일지라도 독자라는 비평가에 의하여 완성되어지기를 바라는 정도의 여백은 가지지 않을 수 없는 것이다.

가령 한편의 작품에는 작가의 몫과 비평가 또는 독자의 몫과 신의 몫이 있다는 이론은 이미 상식이 아닐까? 그리고 현실적으로 우리는 무인도나 문학이 생기기 이전의 원시시대에 살고 있는 게 아니기 때문에, 문학상의 많은 경험과 상식과 이론이 누적돼 있고, 비록 일시적이고 곧 폐기돼 버릴지도 모르지만 지금으로서는 쓸모있는 약속들이 지켜지고 있는 세계에서 소설을 쓰는 것이기 때문에 가령 예를 들면 역설이니 풍자니 하는 따위의 화법(話法)을 사용할 수 있는 자유를 누리기도 하고 그 자유를 발판으로 하여 좀더 적절한 화법을 찾아보려고 머리를 싸매기도 하는 것이다. 물론 작품을 읽어줘야 할 독자들 중에는 비록 작가와 같은 공기를 같은 시간에 마시고 살면서도, 작가 쪽에서 생각하기에는 무인도나 원시시대에서 살고 있는 것과 다를 바 없어 보이는 이들이 적지 않긴 하다. 그리고 바로 그런 점을 강조하기 때문에도 작가는 자신의 작품이 비평에 의하여 완성되어지기를 기대하게 되는 것이다. 그러한 기대에 더욱 욕심을 부리자면 작가 자신의 의도가 정확하게 전달되기를 바랄 뿐만 아니라 관점이 다른 비평들에 의하여 제나름대로 그럴 듯한 작품들로 분열되어지기를 바라는, 모순된 기대조차 작가는 지니기도 하는 것이다.

그런데 작가의 이러한 완성에 대한 기대를 무시하지 말아주기를 바란다. 그러한 기대가 불가능한 것이라면 작가는 이 이상 작품을 「만들려고」 의식하지 않을 것이다. 다만 관찰했던 것만을 전달해 주고 싶고 다만 주장만을 하고 싶다면 작가는 자신이 본 세계와 흡사한 모습의 옷을 작품에 입혀보려고 수고하는 대신 보다 직접적이고 소박한 형식, 가령 수필이라든가 논설의 형식으로써 얘기할 것이다.

실제로 수필이나 논설같은 소설, 논설 같은 소설이 없다는 얘기는 결코 아니다. 그러나 그러한 소설들은 수필이나 논설이 나타낼 수 있는 효과를 계산하여 빌어온 것이고, 대개 수필이나 논설이 그러하듯 독자의 동감 아니면 이견(異見)만을 기대할 뿐이지 해석 또는 의미부여(意味賦與)라는 의미에서의 비평을 기대하지는 않는다.

만일 수필이나 논설이 비평가의 손길을 기대한다고 해도 그것은 보다 많은 사람들에게 읽혀지기를 기대하여 비평가가 중간 상인적인 역할을 해주기를 바라는 뜻에서 기대할 뿐이고 그런 역할이라면 신문기자나 잡지의 편집자의 해설에 맡기는 편이 낫다.

창작품이 이제까지 의미없던 세계에 의미를 주기 위하여 존재하듯, 비평은 창작품의 의미에 의미를 주기 위하여 존재하기를 작가는 비평가에게 바란다.

이 따위 상식을 새삼스럽게 비평가들을 향하여 얘기하는 이유는 최근의 몇 가지 현상에서 일부 비평가들이, 작가의 입장에서 보면 비평 자체가 본래적으로 지니고 있는 필요악적(必要惡的)인 요소에 불과한 것들에 지나치게 의존하고 있고 심지어 그 필요악을 최대한으로 팽창시켜 다음에 올 이들한테까지 전염시키려 하고 있는 듯한 인상마저 주고 있어, 허락하신다면 나도 작가의 한 사람으로서 몹시 걱정되기 때문이다.

비교가 그 필요악들 중의 하나인데, A를 가치있게 하기 위해서 B를 무가치하다고 단정하는 것이 수사학적(修辭學的)으로는 필요하겠지만, B를 무가치하다고 단정하기 위해서는 먼저 B의 가치에 대한 정확한 판단이나 적어도 곡해(曲解)한 대로의 가치설정이 앞서 말해지지 않으면 안된다.

그런데 내가 본 비교들 중의 많은 것들이 비교하기 위한 비교라는 잘못을 저지르고도 시침 뚝 떼고 있는 것이다. 같은 가치에 발을 대고 서 있으면서 보다 선명한 표현을 얻었느냐 덜 얻었느냐의 차이에 불과한 작품들을 가치면에서 비교한다는 것은 큰 잘못이다.

필요악 중의 또 하나는 당대(當代)에서의 분류(分類)인데, 분류라는 도구는 인류에게 많은 유산을 남겨줬음에 틀림없지만 「당대의 분류」란 위험천만하기 이를 데 없는 것이다. 물론 그것이 무의미하지만은 않다. 그것을 사용함으로써 개별적이고 특수한 의미들이 집단적이고 보편적인 의미로 편일된다는 좋은 점이 있는 것이다. 그리하여 분류들의 종합에서 한 시대의 모습이 선명하게 드러나고 인간능력의 새로운 면이 발견됨으로써 다음에 오는 사람들의 도구로써 사용

되기도 한다.

거꾸로 말하면——아니, 분류의 실제적인 작업은 그렇게 진행되는데——한 시대의 모습이 선명하게 드러나고 인간능력의 새로운 면이 발견되어질 수 있는 분류를 해야 하는 것이다. 그러한 작업을 하기 위해서는 무엇보다도 먼저 분류자의 객관적인 분류기준이 설명되어야 할 것이고 그리고 가능한 한, 분류자 자신의 지나친 목적의식이 작용하지 않고, 설정된 분류기준이 지시함에 따라 분류대상들이 동류(同類)끼리 모이도록 내버려둬야 할 것이다.

분류란 이처럼 과학적인 것이기 때문에 비평가로서의 소임이 아니라 문학사가(文學史家)로서의 소임인 것이다.

물론 한 사람이 비평가와 문학사가의 역할을 겸할 수 없다는 얘기는 아니다. 안타까운 것은 상당수의 비평가들이, 뻔히 알 텐데도 불구하고 별로 칭찬할 만하지 못한 목적 때문에 비평과 문학사적인 분류를 한편의 글 속에서 섞어버리고 있다는 것이다.

그런 글을 대하고 가장 당황하는 것이 바로 작가다. 그 당황이 계속되면 민감하거나 미처 대가(大家)의 경지에 들어가지 못한 작가는 비평에 의하여 완성되어지기를 기대하는 작품을 쓰기보다는 문학사가 비위에 맞는 글을 쓰기 위해 더 신경을 소모하게 된다. 그런 결과로는, 끊임없이 성장해야 하고 성장이라는 의미에서 자기탈피도 감행해야 함에도 불구하고 자기모방(自己模倣)만을 일삼는 작가가 되고 마는 것이다.

작가에게 가장 치명적인 타격은 외부에서 오는 것으로는 무관심이라는 것이고 내부에서 오는 것으로는 바로 이 자기모방이다. 자기모방의 위기를 느끼고 그 위기를 벗어나려고 할 때 비교

적 심장이 약한 작가는 붓을 쉬게 되고 그 위기를 벗어나지 못했을 때는 비슷한 작품만 양산해
냄으로써 「재미없는 작가」라는 달갑지 않은 칭호를 얻게 되는 것이다. 내 생각으로는 우리나라
의 많은 훌륭한 작가들이 붓을 쉬고 있거나 재탕같은 작품을 쓰고 있는 이유들 중에는 이런 점
도 한 구석에 끼여 있으리라는 것이다.

얘기가 난 김에, 부분적이고 개인적인 욕심이지만 털어놓자.

적지않은 숫자의 비평가들이 어쩌면 그렇게도 숫숫비슷한가! 작품을 향하여 구체적인 접근
을 하지 않기 때문이 아닐까? 구체적 접근이라는 면에서 가령 최인훈(崔仁勳) 선생식의 비평
이 비평전문가들의 무시무시한 설교조의 글보다 기분좋다. 문제에 대하여 구체적으로 얘기하는
이에게서만 우리는 그 개인의 냄새를 맡을 수 있는 게 아닐까. 대전제(大前提)들은 그만하면
알겠으니 본론으로 들어가 줬으면 싶다.

또, 자기만의 욕심 때문에 자신의 눈을 흐리게 하지말아 주기를 바란다. 가령 4·19를 예언
한 작품이 어디 있었던가고 곧잘 작가들의 현실감각을 의심하는 비평가들도 있는 모양인데 4·
19 이전에 씌어진 많은 선배작가들의 작품들이 묵시(默示)하고 있는 것은 그렇다면 무엇이 될
까. 그 작가들 자신들은 비록 의식하지 못했더라도 그 작가들에게 조차도 의식할 수 있도록 그
작품들을 완성시켜 주는 것이야말로 비평가의 소임이 아닐까.

아직 견문이 넓지 못한 탓인지 또는 나의 과잉해석인지 몰라도, 가령 오영수(吳永壽) 선생의
「여우」에서 전후(戰後)에 밀려올, 또는 우리나라의 현실구조에서 언젠가는 닥쳐오고 말 상업주
의의 팽배를 견뎌내지 못한 비평가들이 현실이니 역사니 하는 말씀은 더 잘 토한다.

188

몇 달 전에 발표된 오유권(吳有權) 선생의 「두 노부(老父)」에서도 인간을 따뜻한 마음으로 사랑하는 비평가라면 얼마든지 그 작품의 의미를 완성시킬 수 있을 텐데도 소 잡는 칼만 들었지 생선 저미는 칼을 가지기를 겸연쩍게 생각하는 탓인지 「오선생이 쓰는 건 뭐든지 생선이니까」하는 정도로 넘겨버리는 게 비평가들이었다.

「아아쭈, 대선배들의 예를 듦으로써 자기 작품 변명을 하려구」하지는 마시기 바란다.

아무리 취중이라지만 자신의 분수는 알고 있다.

말하고 싶은 것은 요컨대, 비평가들이 곧잘 작가들에게 들려준 말을 되돌려주고 싶다는 것이다.

「고민하고, 고독하고, 그래서 좀 재미있게 써라.」

그것은 울음이다 ——김지하詩集《黃土》跋文——

이 시집들에 모인 지하의 시들은 나에게 두 개의 격렬한 감정을 던져주었다. 하나는 당황감이고 하나는 공포감이다.

나의 이 당황감에 대해서는 그럭저럭 설명할 수 있을 것 같다. 그것은 아마 이렇게 될 것이다. 즉, 내게 익숙해져 있는 시들의 대부분이란 게 어떤 유형의 체계적인 시론(詩論)에 의하여 씌어졌거나, 걸보기엔 누구에게나 공통되어 있는 걸로 돼 있는 일상적 사물에 대한 관조(觀照)에 의하여 씌어졌거나, 누구에게나 다소 친숙해져 있는 사상에 의하여 씌어진 데 비하여 지하의 시들은 그런 것들과 멀어 보인다는 점, 한 마디로 「낯설다」는 점에 나의 당황감은 연유한다는 것이다.

그러나, 다만 낯설다는 점 때문에 당황한다는 것은 얼마나 부끄러운 노릇이랴. 시의 배경에 이론이 있어야 하고 시의 대상이 일상적 사물이어야만 하고 시가 사상의 전달수단이어야 한다고만 생각하는 버릇은 더욱 부끄러운 것이다.

190

그렇다. 그런 점을 부끄러워한다면 나는 당황하지 말고 이 시인의 발견·영탄(詠嘆)·호소에 귀를 기울여야 할 것이다.

그런데, 나는 나의 내부에 파고드는 공포감에 대해서는 무어라 분명한 설명을 할 수가 없다. 다만 얘기할 수 있는 것은, 이 시들을 읽는 동안 내 눈앞에 고향의 풍경들이 어른거렸고 그 풍경들이 새로운 의미로 어른거렸다는 것이다.

아무데로나 고개를 돌려도 눈을 쏘아오던 황토가 단순한 붉은 흙이 아니라, 원한 많고 눈물 많았던 선조들의 피와 살과 뼈의 더미라는 것, 그 피와 살과 뼈의 더미 위를 오늘도, 그들 선조들의 것만큼이나 큰 원한과 눈물을 안은 처녀가 터벅터벅 걸어가고 있다는 것, 남도(南道)의 뜨거운 태양, 질기고 뻣센 쑥, 탱자나무 가시, 삐비꽃들이 더 이상 자연의 현상들이 아니고 불행한 역사 속에서 죽은 이들의 고통의 신음과 슬픔의 통곡의 형상이라는 것, 그리하여 태양이 불타고 쑥이 뻗어가고 삐비꽃들이 패는 동안은 우리는 그 신음과 통곡으로부터 달아날 수 없다는 것, 아니 단순한 자연의 그 현상들이 신음처럼 통곡처럼 보일 수밖에 없는 살아 있는 신음과 통곡이 아직도 있다는 것……

남의 울음소리를 들으면, 아무 이유 없이도, 소름이 끼친다. 나의 공포감도 단순히 이 지하의 시가 울음같기 때문만일까? 그것만은 아닐 것이다.

新春文藝에의 길

지금도 크게 달라진 것은 없지만 내가 한국일보 신춘문예에 단편소설이 당선되던 1962년 무렵엔 시인 소설가 또는 문학평론가 등을 지망하는 사람들이 이른바 문단(文壇)에 등장하는 길은 세 가지 밖에 없었다. ① 〈현대문학(現代文學)〉지의 추천제를 거치거나 ② 〈사상계(思想界)〉·〈자유문학(自由文學)〉지의 신인문학상(新人文學賞)에 당선되거나 ③ 서울에서 발행되는 일간지(日刊紙)들의 신춘문예 모집에 당선되거나였다. 그중에서도 가장 권위를 가진 것은 〈현대문학〉지의 추천제였다.

문학전문지가 아닌 〈사상계〉나 적은 발행부수로 근근히 명맥만 유지해가고 있는 초라한 〈자유문학〉지나 당선만 시켰을 뿐·그후의 계속적인 작품활동에 대해서는 아무런 보강수단을 갖지 않은 신춘문예에 비했을 때 착실한 편집과 비교적 오랜 역사와 많은 발행부수를 맞고 있는 〈현대문학〉지야말로 한국문단 그 자체였고 그런데 이놈의 한국문단이 몹시도 배타적이어서 자기네 추천제를 거치지 않은 사람에게는 계속적인 작품발표의 지면(誌面)을 쉬사리 내주지 않았기 때문에 문인(文人)지망생들에게는 자연히 〈현대문학〉지의 추천제를 거치는 것이 문단등장의 정도(正道)인 것처럼 생각되고 있었다.

나 역시 한번은〈현대문학〉지의 추천제에 응해 볼 생각이 들었으나 어쩐지 추천제 자체에서 비밀의 음침한 곰팡이 냄새가 나는 것 같아 싫은 느낌이었고 또 악착같이 소설가가 되겠다는 집념은 없었었기 때문에 내 재능이나 한번 테스트해 본다는 가벼운 기분으로 공개경쟁입찰 같은 「신춘문예」에 응모하기로 작정을 했었다. 「신춘문예」에 응모하는 사람들의 대부분이 아마 나와 같은 기분으로 다른 길을 두고 「신춘문예」의 길을 택하리라고 생각한다. 즉, 공신력(公信力)을 가진 기관에 의한 경쟁시험에 합격하는 떳떳함을 느끼고 싶기 때문인 것이다. 적잖은 액수의 상금을 탈 수 있다면 금상첨화(錦上添花)이다.

그리고 이젠 과거에 비할 수 없이 작품활동의 무대가 많아졌고 그것들이 비교적 개방적이어서 문단등장 수단으로서의 「신춘문예」의 권위가 가령 과거〈현대문학〉추천제를 능가하고 있기 때문에 「신춘문예」 응모자들 사이의 경쟁의 치열도(熾熱度)는 입이 벌어질 정도가 되었다.

그러나 응모하는 사람들은 「신춘문예」에도 큰 결함이 있다는 것을 염두에 두어야 할 것이다. 그 결함은 「경쟁」인데 경쟁될 수 없는 문학을 더구나 단 한편의 작품으로써 경쟁시킨다는 제도 자체이기도 하지만 그보다도 더 큰 결함은 응모자가 응모작을 준비할 때 의식하는 「경쟁」인 것이다.

경쟁의식 때문에 불안해지고 그 불안 때문에 과거의 당선작들을 모방하게 되고 그런 결과로 자기 재능이나 자기가 추구하는 세계를 충분히 나타내지 못하고 그리하여 기성작가와 다른 「신인(人)을 구하려는 심사 기준에 의하여 불합격품이 되고 마는 것이다. 그 결함은 자칫 빠지기 쉬운 함정이기도 한 것이다. 자기가 쓰고 싶은 것, 자기만이 쓸 수 있는 것을 써서 던지고 말일 낙선했을 때도 자기가 잘못된 게 아니고 심사위원이 잘못되었다고 생각할 수 있는 배짱으로 「신춘문예」에 임해야 할 것이다. 당선의 가능성은 그런 태도의 사람에게 더 많은 것 같다.

1

일간지(日刊紙)들의 신춘문예(新春文藝)라는 문단진출 제도는 작가 지망 문학청년들에게는 확실히 매력있는 제도이다. 이른바 권위있는 문학잡지에서 대가(大家) 추천위원에 의한 추천제나 신인작품 모집 제도가 조용조용히 진행되는 데 비해 신춘문예는, 물론 당선되었을 경우의 애기지만, 우선 대한민국 3천 5백만 국민 앞에서 떠들썩하게 공개적으로 인정받은 듯한 착각을 느낄 수 있어서 좋다. 그리고 수많은 경쟁자를 물리쳤다는 동물적인 쾌감, 적지않은 액수의 상금, 1년이 시작되는 정월 초하룻날 신문에 자기 사진과 글이 실렸다는 자랑, 그리고 무엇보다도 이제까지진 독자로서 쳐다보기만 하던 신춘문예 출신의 선배작가들과 어깨를 겨루게 된다는 자부심이 창백한 문학청년들로 하여금 신춘문예를 동경하게 만든다.

작가 지망생이라면, 배우 지망생에 비하면 덜하겠지만, 다른 분야를 지망하는 사람에 비하여

일단 자기 노출증에 감염되어 있는 사람들이다. 특히 신춘문예 낭선을 목표로 뛰어드는 사람들
은 노출 증세가 퍽 중증(重症)이라고 봐야 한다. 투고만 해놓고 당선자 발표는 아직 멀었다는
데도 당선소감을 써두고 사진을 찍어두는 지경이 되면 글쎄, 치유하기 어려운 상태가 아닐까.
아니 흉보자는 것이 아니다. 그런 격렬한 욕망이 없이는 신춘문예 모집광고를 본 날부터 내
일내일 미루다가 마감 날짜까지 투고작품을 한줄도 못 쓰고 「내년 신춘문예에나……」하게 돼
버린다는 얘기다.

신춘문예에 당선되려면, 아니 작자가 되려면 무엇보다도 먼저 자기 노출증을 심하게 앓아야
한다. 원고지를 앞에 놓고 펜을 든 채 입을 벌리고 당선된 자기 모습을 공상하느라고 황홀경을
헤매다가 정작 작품은 한줄도 못 쓰고 말 지경이면 곤란하지만, 당선에의 확신을 잃어버리면
세상에 응모작품을 쓰고 앉아 있는 자신의 몰골보다 허황하고 한심스러운 꼴은 없어 보이는 법
이다. 자신이 하고 있는 짓이 갑자기 무의미해 보일 때는 당선된 자신의 모습을 상상하며 펜에
힘을 줄 수밖에 없다.

2

신춘문예에 당선되어 지금 한창 작가로 활약하고 있는 사람들은 대강만 훑어 보아도 짐작하겠
지만, 가령 문학잡지의 추천제도를 통해 작가활동을 시작한 사람들에 비해 신춘문예 당선작가

들은 퍽 영악스럽다.

추천을 받고 작가가 된 사람들은 대가(大家)의 지도를 받으며 그 지루한 기간을 참고 기다리며 습작하는 동안 어느덧 대가의 몸가짐을 흉내내게 되어 의젓한 선비꼴이 몸에 배는 대신 문학적 재능은 어느 한쪽으로만 탄탄하게 굳어져버린다. 좋게 말하면 자기 세계를 단단하게 다졌고 앞으로 별다른 굴곡없이 꾸준히 작가활동을 해나갈 것이다. 나쁘게 말하자면 좀 미련하대가님들의 추천사(推薦辭)도 대체로 그 요지는 이만하면 네 미련도 한 세상 버티고 살아갈 만하니 추천한다는 것이다.

그에 비하면 신춘문예에 제도 자체가 여간 영악스럽지 않고선 대들어볼 엄두도 못낼 그런 것이다. 수백 명의 응모자 중에서 당선자는 하나, 그나마도 절펏하면 「당선작 없음」해버리는 치열한 경쟁제도이다. 작품을, 여간 치밀하게 준비하지 않고서는 예선권(豫選圈) 안에도 들 수 없다.

어느 신문사의 신춘문예에 응모할까? 과거의 경험으로 보아 신문사마다 단골 심사위원이 있어서 그 심사위원들의 안목과 취향에 따라 골라진 당선작들은 전통적으로 어딘지 비슷한 냄새를 풍기는 것이다. A신문사에 응모하려면 다소 형이상학적인 작품을, 준비해야 하고 B신문사의 그동안 취향을 보면 현실참여적인 작품이라는 식인 것이다. 따라서 과거 당선작들을 면밀히 검토 비교하고 심사위원들의 취향을 정확히 가늠해야 한다.

물론 해마다 심사평이란 걸 보면 「기성작가들의 모양이 아닌 신인다운 새로운 작품」을 부르짖고 있지만 영악한 음모라면 그런 구두선(口頭禪)에 속지 않는다. 「자, 이게 신인다운 새로운

작품이오」하고 로브그리예 같은 작품을 투고해 봤자 그런 작품에 대한 심사평은 으레 「단 한

편의 실험적인 단편소설로써는 그 작가의 역량을 알 수 없으므로」보나마나 낙선이다. 결국 심

사위원들의 안목과 취향의 반경(半徑) 내에서 눈치껏 「이만하면 과거에 못본 새로운 신인」이라

는 칭찬을 받아내야 하는 것이다.

또 있다.

늙은 너구리 같은 심사위원님들은 원고지 글씨만 보고도 이 사람이 글을 제법 써본 사람인가

아닌가 판단한다는 것을 영악한 응모자라면 알고 있다. 글씨체, 맞춤법, 그리고 원고용지 선택

까지, 신경쓴다. 많은 작품들을 읽어대야 할 심사원님들 눈의 피로를 덜어드리는 아첨도 해야 한

다. 누르스름한 갱지 원고용지보다는 세탁해 놓은 듯 하얀 모조지 원고용지에다 검은 잉크로

써 바치는 것이 정성도 있어 보이고 읽기에도 편하다는 것쯤 알고 있다.

원고제출도 될 수 있으면 마감에 임박하여 한다. 먼저 도착한 원고가 원고더미의 밑으로 깔

릴 것은 정한 이치고 늦게 도착해 위에 놓인 원고부터 심사위원들이 읽어나갈 게 분명하다. 그

리고 심사위원들이 아직 신선한 긴장감을 갖고 있을 때 눈에 뜨여야 원고 읽기에 지칠 대로

지쳐 원고의 처음 한두 장 읽다가 「시작하는 것을 보니 이것도 보나마나야」내던져버리면 어디

가서 누굴 붙들고 하소연하나.

이런 저런 눈치 다 봐도 1월 1일자 신문에서 자기 이름을 찾아볼 수 없는 게 신춘문예에 응

모자 신세이니 그 난장판에서 당선된 녀석이 얼마나 영광스러운 놈일지는 짐작하고도 남음이

있을 것이다. 말하자면 동서고금, 된 작품 안된 작품 끌고루 눈치본 영악한 놈이 되지 않고서

는 안된다는 얘기다.

나 역시 시춘문예 당선이란 걸 통해 개업했지만 반드시 장점만 내세워 권하고 싶은 문단 진출계도는 아니라 하고 싶다.

자기 자신을 믿고 꾸준히 습작을 해온 사람들이 잡스러운 계산 하지 않고 작품활동을 할 수 있는 제도가 하루빨리 정착되어야 할 것이다. 가령 구미(歐美)에서처럼 출판사에서 단행본을 발간함으로써 작가로서의 역량을 독자들에게 묻는 제도 같은 것이 일반화된다면 어떨까?

굳어진 손을 푸는 워밍 업

문 10년 동안의 침묵에 대해 자변(自辯)을 한다면?

답 소설을 쓰지 못하고 있는 동안 많은 친구들한테서 「왜 소설을 안 쓰느냐」고 구박도 많이 받고 경멸도 많이 받았다. 그들은 나를 마치 근육이 풀어져버린 권투선수 취급을 했다. 소설을 안 쓰고 또 못 쓴 이유는 한두 마디로 얘기할 수 있는 건 아니지만 그러나 실제로 나는 항상 소설을 쓰고 있는 듯한 착각 속에서 살고 있었다. 친구들이, 소설을 안 쓴다는 것은 문제를 외면하는 안이한 구멍 속에 웅크리고 있는 것이고, 소설을 쓴다는 것은 무엇보다도 먼저 자신의 모든 것에 대한 검토, 대결에서 시작되는 성실의 행동이라는 뜻에서 링 위에 오르지 않는다고 나를 쥐어박은 것이라면 내 단엔 항상 소설을 쓰고 있었다고 감히 말하고 싶었던 것이다.

그러나 「소설을 쓴다」는 것은 역시 종이 위에 펜으로 쓰는 것이라는 것을 이번 작품을 쓰면서 새삼스럽게 확인했다. 머릿속에서만 쓰는 소설이란 자신의 언어와 타인의 언어가 뒤범벅이 된 사기극이고 역시 펜에 의해서만 그것들이 분리된다는 뜻에서뿐만 아니라 쓰는 것 자체가 이제

200

까지 부딪쳐 보지 못한 그러나 한번쯤은 반드시 맞닥뜨려야 할 문제들과 만나는 길인 것이다.

쓴다는 길을 통해서만 만날 수 있는 문제들이 있는 것이다 생각했기 때문에 쓰는 것이 아니라

쓰기 때문에 생각나는 것들이다. 그것은 누구보다도 쓰는 사람 자신을 풍요하게 하는 것이다.

이런 뻔한 얘기를 독학한 문학청년처럼 새삼스럽게 자신에게 다짐하고 있어야 할 만큼 그동안

나는 소설과 멀리 떨어져 있었다는 걸 확인하며 그 동안 나를 구박한 친구들에게 고개숙인다.

그러나 말끝이 군소리하듯 덧붙인다면 「소설 못 쓰고 있는 소설가가 느끼는 고독의 경험은 너

희들에겐 없겠지, 응응.」

문 이 작품에 관해서 얘기하고 싶은 것은?

답 작품의 모티브는 한 친구의 실화(實話)에서 얻었다. 이번에 나가는 장(章)과 다음에 나갈

제1장에서 소재의 꽤 많은 부분이 실화에 충실한 것이다. 물론 실화 자체가 아무리 재미있고

뜻이 있더라도 그것이 소설 속에서는 주제와 리얼리티를 살리는 방향으로 변용되어야만 한다는

것을 잘 알면서도 위험을 무릅쓰기로 했다. 이 작품의 소재는 매우 아슬아슬한 것이다. 지나치

게 변용시켰을 때는 소재가 함유하고 있는 생동감이 작가의 상투적인 윤리기준에 의하여 부패

돼 악취를 내기 쉽고, 또 실화 자체에만 충실했을 때는 오히려 보편성 없는 공허한 엽기취향

(獵奇趣向)의 시정잡담(市井雜談)이 돼버리기 십상인 것이다. 모처럼 소설을 써 발표하면서 보

다 「문학적」인 소재를 꺼내지 않고 이런 성공하기 힘든, 그리고 성공해 봤자 별수없는 소재를

선택한 것은 그동안 더욱 둔화된 자신의 필력(筆力)을 가다듬어 보는 데는 적절한 소재였기 때

문이다. 말하자면 이 작품은 나 자신을 위해서 쓴 것이라고 할 수 있다. 그렇다. 이 작품은 일

종의 위밍업으로서 순전히 나 자신의 군어진 손을 풀어 보기 위해서 쓴 것이다. 내가 소설을 써 발표하지 않은 이유를 「명작의식(名作意識)에 사로잡혀 있기 때문」이라고 말하는 친구들을 자주 만났다. 물론 어느 작가가 명작을 쓰고 싶지 않으랴. 그러나 명작의식이란 자기가 쓰고 싶고, 쓸 수 있다고 생각하는 범위 안에서 최선을 얻어내고 싶다는 욕망 이상은 아닌 것이다. 오히려 친구들의 그런 핀잔이 이젠 나의 강박관념이 되어 내 손이 당장엔 미처 따라잡을 것 같지 않아 보이는 착상이 머리에 떠오르면 뒤로 미뤄놓아버리곤 하는 악습을 갖게 되어버렸다. 이 작품도 그런 강박관념 때문에, 씀으로써 빨리 나로부터 내팽개쳐 버리고 싶은, 나로서는 최소한의 완성미 만을 기대하며, 어쩌면 내 잃어버린 소설을 찾아가는 길잡이로서의 소설이 되어주기를 바라며 쓴 것이다.

註＝「서울의 달빛 o章」을 쓰고 나서 「作家의 말」

202

散文時代 이야기

머리말

〈대학신문(大學新聞)〉에서 「산문시대(散文時代)」 이야기를 써보지 않겠느냐고 했을 때 나는 좀 망설이지 않을 수 없었다.

망설인 이유는 중의 하나는、 만일 〈대학신문〉이 요즘 일간지들에게 유행되고 있는 비화류(秘話類)의 글을 〈대학신문〉에도 하나쯤 싣고 싶다는 뜻에서라면 「산문시대」 이야기가 아니라도 서울대학교 자체의 과거 속에서 얼마든지 재미있고 유익한 얘기를 끌어낼 수 있으리라는、 사양하는 마음 때문이었다.

이유들 중의 또 하나는 이런 종류의 글이란 쓰는 사람의 일방적인 시점(視點)에 철저히 의존하기 때문에 지금의 입장에 의하여 과거의 사실이 잘못 구성되기 쉽고 특히 글 속에 쓰여지는 사람에게 엉뚱한 피해를 입히기 쉽다는 두려움 때문이었다.

그리고 또 하나의 이유는——이것이 가장 큰 이유라고 할 수 있겠다. 「산문시대」가 결과적으로 거기에 참가했던 우리 몇 사람을 제외한 다른 사람들에게 무슨 뜻을 가질 수 있는 것인지 알 수 없기 때문이었다.

물론 「산문시대」가 한국문단의 한 구석에서 그리고 일부 문과대학생들 사이에서 상당히 과장된 모습으로 전설화해 있다는 것은 나도 알고 있다.

그렇게 된 까닭도 내 나름으로는 짐작하고 있다. 즉 산문시대 자체의 문학사적 공과(功過) 때문이 아니라 문인들을 많이 배출하지 않는 서울대학교에서 이례적(異例的)으로 동학년 출신의 작가 김성일(金成一) 그리고 나와 평론은가 김주연(金柱演)·김치수(金治洙)·김현·염무웅(廉武雄)을 거의 동시에 많이 내보냈다는 사실이 흥미의 대상이 되었고 그 결과 그들이 직접으로든지 간접으로든지 관계했던 「산문시대」가 화제의 거품 위에 떠올랐다는 것이다. 따라서 그 정도의 뜻——동학생 출신의 대거 문단진출 배경을 밝힌다는 뜻——정도라한 회상으로서 썩어질 게 틀림없는 「산문시대」 이야기에 의해서가 아니더라도 얼마든지 구태여 잡다한 회상으로서 썩어질 게 틀림없는 「산문시대」 이야기에 의해서가 아니더라도 얼마든지 구태여 잡다한 회상의 뜻——동학생 출신의 대거 문단진출 배경을 밝힌다는

그럼에도 불구하고 지금 이 글을 쓰리라고 생각되는 이유는 〈대학신문〉이 제시하는 다음과 같은 목적에 나 역시 충분히 동의할 수 있었기 때문이다.

첫째 과거 서울대학교의 학생사회의 변화를 보면 크게 몇 가지로 구분할 수가 있다. 「산문시대」 이야기 속그중의 하나가 4·19 이후 수년 동안의 학생사회라고 말할 수 있다. 「산문시대」 이야기 속에 단편적이나마 그 앞과도 그 뒤와도 구별되는 그때의 학생사회 분위기 내지 특징이 표현될 수

204

있다.

둘째 여러 가지 이유로 대학생들의 교외 그룹활동이 제한되고 있는 현시점에서, 하나의 그룹

활동이었다고 할 수 있는 「산문시대」의 경험은 학생들에게 다소나마 참고가 될 수 있다.

〈散文時代〉란?

〈산문시대〉란 지금으로부터 11년 전인 1962년 6월에 김현, 최하림과 나에 의해서 창간호

가 나왔고 1964년 9월까지 3년에 걸쳐 5호를 내고 없어진 문학동인지의 이름이다.

세 사람으로써 시작되었으나 동인의 수도 차츰 늘어나 5호때의 동인명단을 보면 강호무·곽

광수(郭光秀)·김산숙(金山椒)·김성일(金成一)·김승옥·김치수·김현·서정인(徐廷仁)·염무

웅·최하림 이상 10명으로 되었다.

당시 강호무와 최하림을 제외한 나머지 8명은 모두 서울대학교 학생들이었다.

지금 소설가이며 전북대학교에서 영문학을 가르치고 있는 서정인(본명 徐廷坨)은 당시 대학

원 영문과, 최근에 프랑스에서 문학박사학위를 받고 돌아온 곽광수는 당시 문리대 불문과, 지

금 서울신문사에서 일하고 있는 김산숙(본명 金昌雄)은 당시 국문과, 지금 소설가이며 「보르네

오통상」에서 일하고 있는 김성일(본명 金与一)은 공대 기계과, 지금 평론을 쓰며 부산대학교

(釜山大學校)에서 가르치고 있는 김치수는 불문과, 역시 평론을 쓰며 서울대학교에서 가르치고

있는 김현(본명 金光南)도 불문과, 평론을 쓰며 덕성여대(德成女大)에서 가르치고 있는 염무웅

은 독문과、 나는 불문과의 학생들이었다。

「산문시대」가 좀더 계속되었더라면 동인의 수도 좀더 늘었을 것이다。

〈산문시대〉 자체의 성격이 창간 당시의 순수한 동인지로서의 폐쇄적이었던 성격으로부터 하나의 꿈을 가지기 시작하면서부터는 문학잡지적인 개방성을 띠기 시작했기 때문이다。

그 꿈이란 〈산문시대〉가 단순히 우리 몇 사람만의 발표용을 만족시키기 위한 도구가 아니라 「대학생문단(大學生文壇)」을 형성하는 핵(核)이 됐으면 하는 것이었다。 우선 서울대학교 재학생 중심의 문학지(文學誌)일 것、 그리하여 「서울대생 문단」을 형성할 것、 나아가서 전국의 「대학생 문단」을 형성하게 되는 유도체(誘導體)가 될 것。

그리하여 기성인문학(既成人文學)과 구별이 되는 독특한 대학생문학이 있도록 할 것 등을 기대했다。 우리가 졸업을 하고 나면 후배들에게 「산문시대」를 물려주고 그 후배들은 「산문시대」를 좀더 키워서 다음 후배들에게 물려주고。

엄밀한 뜻에서 문학에 프로문학과 아마튜어문학이 있을 수 없는 것이지만 김동리, 조연현 등 몇분의 폐나 상투적인 안목에 의하여 문인이 제조되고 있던 당시로서는 우리 자신들의 가능성을 보존하고 싶었고 그 보호하는 글을 아마튜어문학이라고 자칭함으로써 우리 자신들의

고 싶은 욕망과 학생이라는 어떤 의미에서 부자유스러운 신분이 결합하여 「대학생문학」이라는

좀 엉뚱한 꿈을 갖게 되었던 것이다.

바로 그러한 꿈에 의하여 우리는 기성문학이 제시하는 어떤 틀로부터 해방될 수가 있기도 하

였는데 결과적으로 해방 그 자체 외에는 별다른 뜻을 갖지 못했는지는 모르나 나의 중편(中篇)

「환상수첩」은 대학생문학이라는 것을 내 나름으로 의식한 결과로서 씌어진 것이고 김현이 한국

문학사(韓國文學史)를 자기 나름으로 써보내려고 했던 것이나 염무웅이 「현대성(現代性)」의 정

체를 밝혀보겠다고 덤벼든 것이나가 역시 「대학생문학」을 설정했을 때 얻는 일종의 패기에 의

해서였다고 할 수 있다.

자, 이제부터 그 패기만만하던 시절의 잡담을 늘어놓기로 하자.

新入生

1960년 나는 전남 순천고등학교를 졸업하고 문리대 불문과에 입학했다. 대학생활과 서울

생활이라는 두 가지 낯선 생활이 한꺼번에 시작된 것이다. 「낯설다」는 말은 그리 단순한 뜻이

아니었다.

우선 서울생활로 말하자면 그것은 의·식·주 같은 기본적인 것까지도 이제부터는 나 혼자의

힘으로 해결해야 한다는 것이었다.

이제까지는 한가족의 일원으로 어머니의 보호를 받는 아들로서 의식주 문제 따위는 내 알 바가

아니었으나 이제부터는 내손으로 벌어서 세끼 밥을 먹어야 하고 잠자리를 구해야 하고 옷 걱정

을 해야 하고 등록금을 마련해야 하고 책을 사봐야 하는 것이었다. 거의 미국 원조에 의지하고

있고 그나마도 극도에 달한 부정부패(不正腐敗)인 당시 우리네 살림살이란 몹시도 초라했고 그중에서도

있던 자유당정권말기(自由黨政權末期)에 의하여 부(富)가 소수인(少數人)에게 편재해

시골살림이란 더욱 성했고 그중에서도 28세에 과부가 되어 혼자의 힘으로 시어머니와 세 아들

을 돌봐낸 내 어머니의 살림이란 말할 필요도 없는 것이었기 때문에 나는 입학시험을 치르러

서울에 올 때부터 어머 어르바이트를 하며 대학에 다니기로 결심하였던 것이다.

나와 같은 사정이 아니더라도 즉 학비와 생활비를 도와줄 수 있는 부모가 있는 경우에도 대

학생이라면 아르바이트로써 학교에 다녀야 한다는 것이 대학생 사회에서는 상식이기도 했다.

아르바이트라면 물론 대개 가정교사 노릇하는 걸 일컫는데 소위 일류대학으로 알려진 덕택

에 서울대학생들에게는 쉽게 얻어지는 자리였다. 쉽다고 하지만 그러나

수원(水原)에 학교가 있고 기숙사생활이 위주가 되어 있는 농대생들에게는 아예 불가능한 것이

었고 대개는 경기고·서울고 등 일류고(一流高) 출신으로서 그것도 공대·상대·의대 등 당시

지망률이 높은 대학의 학생들이 좋은 조건의 가정교사 자리를 차지하고 나면 나처럼 대학 졸업

해봐야 뭐가 되는지 알쏭달쏭한 문리대에 불문과 학생에 지방고등학교 출신에 설상가상으로「하

와 이(전라도)출신까지 되고 보면 과히 쉬운 것도 아니었다.

그건 그렇고, 나에게서 서울생활의 시작이란 세상에 태어나서 물질적으로 완전한 독립의 시

작이었다. 그것은 확실히 낯선 것이었다.

대학생활의 낯설음 역시 그리 간단하지가 않았다. 그것은 먼저 김빠지는 느낌으로 시작되었다.

당시 신입생들의 거의 모두가 토로했듯이 대학이란 막상 들어와 놓고 보니 영 매가리없는 곳이었다. 수면과 춘정과 미래에 대한 불안과 싸워가며 변소 벽에도 수학공식을 써붙여 놓고 1분 1초를 아껴 입학시험공부하던 지난 1년의 노력에 미안하고 싶어질 만큼 대학은 우리를 내팽개쳐 두는 곳이었다.

「대학공부란 강의실에서보다 도서관에서, 교수한테서보다 자신이 알아서 해야하는 것이다.」

못 알아들을 말씀은 아닌데 국민학교부터 고등학교까지 꽉 짜인 틀 속에 자기를 맡겨 익숙해진 우리한테는 좀 난처한 퉁김이었다. 배치 달린 교복 한벌 내주고는 시치미 뚝 메고 마냥 우리를 방치해 버리는 대학이 원망스러울 정도였다. 심지어 내가 정말 합격자 명단에 들어 있었던지가 의심스러웠으며 그러니 기를 쓰고 유니폼을 입고서야 안심했으며 그 다음에는 뭘 해야 좋을지 몰라서 두리번거리는 꼴이었다.

대학은 고등학교와는 너무나 달랐다. 고등학생일 때 우리는 자기가 어른이라고 주장해도 아무도 어른 취급을 해주지 않아서 화가 나곤 했다. 그러나, 자기가 하고 싶은 것을 이제 가르쳐줄 대학, 자기인생에서 마지막으로 다니게 되는 교육기관, 그 앞에서는 말 잘듣는 어린애가 되고 싶어해도 아무도 어린애 취급을 하지 않는 것이었다.

이 갑자기 받게 된 어른대접, 이 자유는 우리 신입생들을 당황하게 만들었고 당황을 감추기

위해 필요 이상으로 근엄한 표정을 짓고 다니게 했다.

근엄한 표정을 짓고서야 같은 신입생끼리도 친해질 리가 없다. 영문과·독문과·불문과 신입

생들이 모여 있는 교양학부 B교실에도 애늙은이들이 우글거렸다. 쉬는 시간에 창가에 늘어서

서 담배를 주고받으며 통성명하고 있는 친구들은 대부분 어른대접을 좀더 일찍 받은 재수생(再

修生) 출신들이고, 몇명이 둘러앉아서 낄낄대는 것은 주로 서울에 있는 고등학교의 동창생들이

고, 괜히 변소에만 오락가락하는 것은 아직 친구를 사귀지 못한 지방출신 외톨이들이었다.

나는 물론 외톨이축이었는데 둘러보니 알 만한 얼굴 하나와 알 만한 어른 하나가 있었다. 독

문과의 이청준과 역시 독문과의 김광규(金光圭)였다.

이청준이는 고등학교 때 한 번 만난 일이 있었다. 그는 광주일고를 다녔는데 광주에 가서 고

등학교를 다니는 내 친구가 방학 때 그를 데리고 순천으로 와서 만났던 것이었다. 청준이를 데

리고 온 내 친구를 통하여 그가 중학교때부터 가정교사를 하며 공부를 했다는 것, 전남지방에서

는 일류라고 하는 광주서중(光州西中) 광주일고에서 계속 수석을 해온 수재라는 것 등을 알았다.

한 번밖에 만난 적이 없었지만 그때 그는 광주일고 학생회장을, 나는 순천고 학생회장을 하고

있었으므로 같은 학생회장이라는 사실로써 나는 그에게 어린애같은 친밀감을 가지게 되었었다.

그런 친구를 생소한 사람들 가운데서 만나게 되니 무척 반가왔다. 그러면서 한편으로는 뜻밖이

라는 느낌을 가졌다. 독문학을 할 친구같이 뵈지 않았던 것이다. 전남지방에서는 가정 형편이

어려운 수재들은 대개 판검사(判檢事)를 목표로 법대에 진학하는 것이 통례이었기 때문이다.

나는 이청준이도 그러려니 생각했던 것이다. 아니 그래야 할 친구로 생각했던 것이다. 내가 그

런 뜻의 말을 했더니 그는 별다른 대답 없이 웃기만 했다.

김광규라는 친구 역시 고등학교 때 이름을 알게 된 친구였다. 주로 고등학생을 상대로 내는 〈신

문예(新文藝)〉라는 잡지에 시를 투고하여 실린 적이 있었는데 그 잡지가 지난 6개월 동안 발표

된 작품들 중에서 선발하여 상을 주는 일종의 문학상 비슷한 것에서 서울고등학교의 김광규가 1

등, 내가 3등 한 적이 있었다. 그것을 서로 기억하고 있었던 것이다. 말하자면 지면지우(紙面

之友)였다.

이 두 사람의 소개 때문에 나는 정작 같은 과인 불문과 친구들보다는 독문과에 더 가까운 친

구들을 가지게 되었다.

신입생 환영회에서

「지방출신」「서울출신」의 얘기가 나왔으니 말이지

만, 당시 두 출신 사이의 가장 큰 차이는 문화감각(文

化感覺)의 차이였다. 적어도 나에게는 그것이 가장 충

격적으로 느껴지는 것이었다.

입학식이 있은 지 얼마 안된 어느 날, 학생회에서

「신입생 환영회」라는 걸 베풀었다. 회장(會場)인 문리

대구내의 대강당으로 들어서니 막걸리통이 여기저기 놓여 있고 연단(演壇)에는 초청되어 온 밴드가 자리잡고 있었고 빨뿌지가 하나씩 배급되었다.

신나게 놀아라는 뜻의 인사말을 하고 나서 오늘 초청한 밴드마스터를 소개했다. 학생회장이 나와서 「너희들을 환영한다.」 그런데 바로 그때부터 나의 당황은 시작되었다. 학생회장이 『김광수와 그의 악단입니다』고 소개하고 김광수라는 중년 사내가 생글거리며 우리 신입생들에게 절을 하자 여기 저기서 『김광수!』『김광수!』 환호성이 터지며 박수가 요란한 것이었다. 나로서는 한 번도 못 들어본 이름인데 굉장한 인기다. 어느 틈에들 저런 사람 이름까지 알고 있었을까? 아니 밴드마스터 따위한테 환호를 보내는 녀석들을 이해할 수 없었다. 더구나 이춘희니 뭐니 하는 가수들이 나와서 가사를 한마디도 알아들을 수 없는 재즈송을 불러대는데 여기 저기서 합창으로 어울린다. 무대 위로 뛰어 올라가 마이크를 들고 노래하는 신입생들이 속출한다. 그런데 한결같이 영어로 된 노래들이다. 「오, 캐롤」 어쩌구 저쩌구.

나도 노래라면 어지간히 좋아하고 알고 있는 편이지만 그건 모두 옛날 우리나라 유행가뿐이었다. 그렇지 않으면 농고등학교 때 학교 스피커에서 흘러나오는 「트로이메라이」정도뿐이었다. 이 외국 경음악의 세계에 대해서는 완전히 무식했다. 남들을 흉내내어 박자에 맞춰 손바닥을 두들기고는 있었지만 기가 팍 죽지 않을 수 없다. 우리집에 라디오가 없었던 탓이겠지. 그러나 차츰 나는 대강당 안이 두 부류로 갈라져 있음을 알아챌 수가 있었다. 「서울·부산출신」과 「지방출신」이었다. 기가 죽어 있는 것은 나만이 아니었던 것이다. 나만이 아니라는 걸 깨닫고 다시 보니 재즈에 흥분하는 그들이 모두 6·25 때 부산 등지에서 미군(美軍) 뒤를 줄줄 따라다니

며 『헤이, 슈사인! 초콜렛 기브미!』했을 것만 같아 보였다。 그렇다고 해서 내가 그들을 경

멸했다거나 혐오했다는 것은 아니다。 그때까지 나 혼자만의 문제였던 것이 어쩌면 많은 사람들

「지방출신」문제일 수도 있다는 것을 발견한 느낌이었다。

여기에는 대단히 개인적인 설명이 필요하다。 내가 자란 호남지방에서는 「6·25」란 조수(潮

水)같은 것에 지나지 않았다。 바닷가에 밀물이 들어왔다가 때가 되어 썰물로 나가듯 그런 것이

었다。「인민군이 진주(進駐)하여 3개월 가량 점령하고 있다가 퇴각했다」 그렇게 표현해도 될

정도다。 물론 썰물에 휩쓸려 나가는 모래나 자갈이 있듯이 사람들이 죽고 집들이 폭격당하고

했지만 주민 대부분의 생활방식 자체에는 큰 변화가 없었다。 말할 것도 없이 이것은 다른 지방

특히 당시 북한 주민 거의 전부와 서울·대전·대구·부산 등지의 사람들에게 닥친 「6·25」와

비교해서의 이야기다。 6·25가 터졌을 때 나는 국민학교 3학년인 10살이었고 전선이 38선

부근에서 교착된 다음해 즉 내가 국민 고 4학년 때

는 내가 학교공부 외의 독서를 시작한 때인데 그때부

터 내가 구독하고 있던 《새벗》이니 《소년세계》니 《학

원)이니 하는 잡지나 내 사촌형이 하고 있는 세책점

(貰冊店)에서 빌어보는 만화나 소설 모두가 온통 끔찍

한 전쟁경험담, 피난지에서의 절망적인 생활경험담으

로 가득 차 있었다。 그것은 비교적 변화 없이 6·25

를 치르는 나에게 기묘한 콤플렉스를 형성시켜 주었

다. 「천막으로 된 피난학교에서 피난길에서 잃어버린 부모를 애타게 그리며 방과후엔 구두닦이

를 하며 그러나 열심히 공부하는 아이들」이야말로 한국의 아이들이고 나는 이방(異邦)의 아이

인 것만 같은 콤플렉스가 싹튼 것이었다. 역사(歷史)의 현장인(現場人)이 아니라는 이 열등의

식은 그 이후 어쩌면 오늘까지도 6·25 이후 형성된 나쁜 요소까지도 그것이 6·25를 가장

절실하게 겪어낸 난민(難民)들에 의해서 주도(主導)·형성(形成)된 것일 거라는 이유 때문에

나로 하여금 그것을 비난하게 하기 앞서 먼저 농촌의 아이가 밭둑에 서서 지나가는 탱크를 구

경하듯 멍하니 압도되어 바라보고 있게 만들곤 했다.

말하자면 신입생 환영회장에서 내가 마주친 대도회(大都會) 출신, 즉 피난민 출신 친구들의

나와 다른 문화감각도 나에게는 그런 탱크였던 것이다. 그리고 그 자리에서 나는 나만이 그런

열등의식의 소유자가 아닌 것 같다는 낌새를 눈치챈 것이었다.

지금 돌이켜보면, 당시 내가 동년배에게 느꼈던 이질감에는 라디오나 TV가 보급되고 안되

고의 차이가 아닌 문제가 있었던 것 같다. 오늘날 우리나라 젊은이들의 대부분에게 친숙한 문

화도 햇수로는 13년 전에 불과하지만 당시로서는 자랄 수도 있고 죽어버릴 수도 있는 하나의

싹에 지나지 않았던 것 같다.

모든 것이 폐허에서 싹을 내밀기 시작한 당시, 청년문화(靑年文化)도 여러 가지 싹을 내밀었

을 것이다. 그중의 어느 하나가 또는 몇개의 싹이 지난 13년 동안을 자라서 오늘의 청년문화가

되었을 것이다.

그렇게 생각했을 때 당시 내가 느꼈던 이질감은 문자 그대로 이질감으로서, 하나의 싹이 다

른 성질을 가진 싹에 대하여 느낀 감정이지 동질(同質)의 문화 속에서 그 양(量)을 많이 누리
고 적게 누린 차이에서 오는 느낌은 아니었던 것이다.

왜 이런 얘기를 하느냐 하면 그 신입생환영회가 있은 지 바로 얼마 후에 일어난「4·19」에
의하여 즉 동질(同質)의 의식(意識)에 의하여 동년배 사이의 감각의 차이를 무시할 수 있게 되
었고 나아가서는 의식(意識)에 의하여「지방출신」의 감각도 어쩌면 자리를 차지할 수 있게 되었
다는 것을 말하고 싶기 때문이다.「4·19」가 없었더라면 난민(難民) 감각에 의하여 지방출신
의 의식은 앉을 자리를 못 찾았을 것이다.

「4·19」에 대하여

너는 꽃이다… 그렇기…는 山樣金四雄

「4·19」에 대한 오늘날의 평가는 대체로 두 가지인
것 같다.「4·19」를「4·19학생의거」라고 부르는 평가와「4·
19혁명」이라고 부르고 싶어하는 평가가 그것이다. 장
기집권(長期執權)을 위한 독재자의 부정선거를 규탄했
던 학생 사건으로「4·19의 의미를 한정시키자는 의견
과 이당에 자유민주주의가 들어온 이후 처음으로 진정
한 자유민주주의를 실현할 수 있는 자신과 용기를 불
어넣어 준 계기 내지 자유민주주의자들의 혁명으로 보

고자 하는 의견이 있는 것이다. 전자(前者)는 4·19에서 「헛바닥만의 자유민주주의」는 공산화(共產化)로의 지름길」이란 점을 강조하고 후자(後者)는 강력한 독재자역 대한 민중의 승리를 기네기에 그것이 체제(體制)로의 완성(完成)을 이루지 못하고 실패로 끝날 요인을 처음부터 안고 있었다」는 것이다.

4·19에 대한 오늘날의 평가야 어쨌든 그것의 주체세대(主體世代)에 속해 있던 우리들에게는 아슬아슬하게 다행스러운 경험이 아닐 수 없었다. 왜냐하면 우리들이 국민학교 때부터 받아온 교과서에서의 교육이 4·19에 의하여 완성될 수 있었기 때문이다. 하마터면 그 완성을 보지 못하고 「교과서와 현실은 다르다」는 모순 속에서 자기들이 받아온 교육을 거추장스러운 쇠사슬로 여기며 살아갈 뻔하였다. 4·19 이듬해에 있었던 5·16군사혁명의 주체자들의 고백을 들어보면 쿠데타는 원래 4·19가 있었던 무렵에 계획되어 있었는데 학생들이 선수(先手)를 쓴 때문에 일단 포기했었다는 것이다.

요컨대 수천년 역사상 처음으로 이땅에 자유민주주의가 학교에서 가르쳐지게 됨과 동시에 그들의 학교생활을 시작한 4·19세대는 그들에게 「주권재민(主權在民)」 「삼권분립(三權分立)」 「정당정치(政黨政治)」 「민주주의 정신은 페어플레이 정신」 등등을 가르치는 학교 선생님으로부터 대통령에 이르기까지의 어른들이 비록 입으로는 가르치고 있지만 얼마나 그것을 이해하고 있지 못하며 자기들의 것으로는 생각하고 있지 않는가를 모른 채 소박하고 순진하게 그것을 자기네 것으로 하였다. 한 개인의 일생에서 가장 중요한 첫 20년의 기간을 고스란히 동질(同質)

216

의 교육을 받고 자란 세대란 4·19세대 이전의 세대에는 없었다. 이점에서도 4·19세대는 행복한 세대이고 그들이 받은 교육을 4·19로써 구현시켜 볼 수도 있었던 것도 행복한 것이다.

만일, 「이 땅의 풍토에는 교과서식의 자유민주주의가 아무런 구원 수단이 될 수 없다」란말이 하기야 이 행복은 가장 비참한 불행으로 바뀔 수도 있다.

다. 그리고 만일 우리들에게 그것을 가르치던 어른들이 뒤통수를 긁으며 「그건 뭐 미국이 원조물자를 주면서 가르치라구 해서 할 수 없이……」 이런 식으로 나온다면 적어도 한 세대는 완전히 사기당한 꼴이 되고 만다.

4·19란 어쩌면 바로 이 사기당한 데 대한 분노의 표현이었다고도 할 수 있고 4·19로부터 10년 이상이 지난 오늘날에는 「4·19세대」란 적어도 외면적으로는 완전히 해체해 버렸지만 그들이 지금 어디 가서 무열하고 있든 그들에게는 「행복」이 「불행」으로 바뀌어지지 않기를 바라는 기대가 일관되고 있다고 나는 믿는다.

그런데 한편으로 4·19는 대학으로서는 난처한 경험이기도 했다.

4월 19일부터 30일까지는 학생데모, 계엄령선포, 이박사(李博士) 하야 등으로 흥분의 연속이었다. 학교가 문을 연 것은 5월 1일부터였는데 그러나 수업이 제대로 될 리가 없다. 열광적인 분위기는 여름방학이 될 때까지 학교 안을 지배했다. 주로 정치과, 외교과, 사회학과의 고학년생들이 주동이 되어 대강당에서는 거의 매일 외부인사(주로 政治人)들을 초청하여 시국강연회를 열었다. 학생들은 거의 대부분 그런 강당으로 모여들었고 교수들은 아주 암전한 학생 몇 명만을 상대로 강의하거나 그나마도 『휴강합시다』 하면 휴강이었다. 학생들은 기고 만장하였다.

「어용교수」 축출운동을 벌임으로써 실제로 몇 교수를 쫓아내기도 했고, 노교수들로부터 야단을 맞기도 했다. 가령 지금은 돌아가신 이상백(李相佰) 교수 같은 분은 「너희가 부정선거 원흉으로 몰아낸 장경근이 같은 사람도 너희들만했을 때는 동경제대 법과 수석으로 졸업한 수재라고 했다. 그런 사람도 나이가 들어 세상 때에 물드니 그런 짓을 했는데 공부할 생각은 안하고 정치가나 된 듯 우쭐대는 너희들이 이담에 장경근이 나이가 되면 무슨 짓을 할지 기가 막힌다」 그런 뜻으로 노골적으로 학생들을 비난하곤 했다. 아닌게아니라 당시 학생들을 리드하던 고학년생들 중에는 새로 선출하는 국회의원 입후보자 등으로부터 자금을 받아 학생들을 선거운동원으로 이용하려는 자들도 있었고 실제로 폐를 지어 선거운동을 하러 지방으로 흩어지는 학생들도 있었다. 학기말시험이 끝나자 향토계몽대를 조직하여 방학 중엔 농촌에 가서 농사일도 돕고 농민들에게 정치의식을 불어넣자는 운동이 있었다. 학생들은 밀짚모자 하나씩 쓰고 가슴에 향토계몽대 마크 하나씩 달고 학교에서 발행해 준 학생 할인권으로 기차표를 싸게 사서(그나마도 대개는 학생들의 비위를 맞춘 국회의원들의 호주머니에서 나온 돈으로) 지방으로 흩어졌다. 이 향토계몽대는 4·19를 일으킨 책임자로서 대학생들이 그 부자유스러운 신분, 그 한정된 역량으로써 할 수 있었던 사회에 대한 최선의 신질서(新秩序) 확립책(確立策)이었는지는 알 수 없으나 많은 오해만 받고 말았고 별소득은 없었다.

당시 캠퍼스를 지배하고 있던 열광, 다음해의 5·16 이후에도 계속하여 수년 동안 캠퍼스에는 잔존하던 그 열광이 그러나 캠퍼스 밖에서는 어리둥절한 혼란으로밖에 비치지 않았다는 것

을 당시 우리들은 알지 못했다.

사실 학생들의 임무는 이박사 하야(下野)로 끝난 것이다. 나머지는 그 학생들을 자유민주주의로 길러낸 기성인들이 알아서 처리할 일이었다. 학생들은 한 인생(人生)에서도 팔뚝에 근육이 생기기 시작하고 신기한 것에 깊은 호기심을 나타내 보이는, 한창 청춘이요, 그런데 누구에게도 불가능해 보이던 우상을 거꾸러뜨린 승리를 해낸 것이다. 기고만장 아니할 수 없고 좀 까불어도 할 수 없는 것이다.

문제는 학생들의 기고만장을 슬쩍 받아넘기고 새로운 질서를 확립해 갈 수 있는 사회 전반에 걸친 정치역량의 부족에 있었다. 어쨌든 여름방학이 끝나고 2학기가 시작되었다. 지난 학기 학생들 사이에 뒤얽힌 동지의식은 상급학년과 하급학년 사이의 간격을 없애버렸다. 안정된 집단에 으례 있는 고하의식(高下意識)은 사라지고 친밀감으로써 어울려 잔디밭에서나 다방에서

交友 시작

같은 학과의 상급학년과 하급학년생이 어울려 떠들고 있는 것은 당시 흔히 볼 수 있는 풍경이 되었다. 당시 특히 문리대 캠퍼스 풍경의 특징을 든다면 이것을 내세울 수 있다.

2학기가 시작되자 4·19로 인한 1학기 때의 열떤

분위기는 많이 가라앉았다。교양학부 B교실의 영·독·불문학과 학생들 사이에도 서먹서먹합

이 사라지고 안정된 친밀감이 스며들었다。차분히 공부하려는 자세를 갖추는 것 같았다。

그러나 내 생활은 그 무렵부터 어수선해지기 시작했다。지난 1학기 동안은 성북동에 있는

어느 집에서 중학생을 가르치는 가정교사로서 적어도 의·면상으로는 비교적 안정된 생활을 해왔

었는데 몇 달 동안 그 일을 해보니 이건 영 못해먹을 노릇이었다。

제일 괴로운 것은 그 집이 가정교사를 두고 아이를 가르칠 수 있을 만큼 넉넉한 집이 아니라는

사실이었다。과부어머니가 남편이 남겨준 약간의 재산을 가지고 이리 굴리고 저리 굴리며 아들

셋을 가르치고 있는 집인데 어쩌면 그렇게도 우리집 형편과 꼭같은지 딱하고 답답하였다。바로

그 점 때문에, 세 끼 밥먹고 잠자는 정도의 당시로서도 박한 보수에도 불구하고 몇 달 동안 내

생 가르치는 기분으로 눌러 있었었지만 나중엔 그집 밥 한 그릇이라도 축내는 게 미안해지기만 하여

여름방학이 되자 눈 딱 감고 그 집에 작별인사를 해버렸다。그리고 나서 방학 동안 고향에 가서

곰곰이 생각하니 다음 학기 서울에서 지낼 일이 막연하였다。그 무렵에 한국일보사에서 《서울경

제신문》이란 일간지를 창간한다는 광고가 나왔기에 국민학교때부터의 그림솜씨를 동원해 연재

만화 샘플 몇 장 그려 《서울경제신문》 문화부장 앞으로 부치면서 「아직 연재 만화가 결정되지

않았으면 본인에게 그리도록 해주십시오。 본인은 직업만화가는 아니지만……」 어쩌구 했더니

뜻밖에도, 정말 뜻밖에도 문화부장 임영(林英)이란 분한테서 「고료 등 계약할 테니 신문사로

와달라는 회신이 왔다。얼씨구 이제는 살았구나 하고 달려갔더니 내가 예상했던 것보다는 적

었지만 그러나 대학생 한 사람이 하숙비를 내고 책을 사보고 조금씩 저축하여 한 학기 등록금

220

김현

을 마련하기에는 충분한 액수를 월급으로 준다는 것이었다.

그리하여 엉뚱하게도 만화가 노릇을 한 학기 동안 하게 되었는데, 신문의 연재만화란 게 가난한 집 가정교사 노릇 이상으로 골치아픈 것이었다. 아침에 눈만 뜨면 그날 그려야 할 만화에 대한 생각으로 머리 속이 가득 찼다. 그때 내가 그리던 만화의 주인공 이름은 「파고다영감」이었는데 그 「파고다영감」이 불문과학생인 내 머리 속에서 불어단어를 쓰레기 치우듯 빗자루로 쓸어내는 광경이 환히 보이는 것이었는데 그거야말로 진짜 만화였다. 그런 머리 속으로 한 교공부가 제대로 될 리 없다. 설상가상으로 그 무렵에 「고바우영감」을 그리는 김성환(金星煥) 씨와 친해졌는데 나는 이 양반한테 홀딱 빠져서, 매일 오후 3시만 되면 동아일보사 근처에 있는 보래로라는 데나는 이 양반한테 만나 잡담으로 시간을 보내곤 했다. 말하자면 3시 이후의 강의시간엔 아예 다방에서 그분과 만나 잡담으로 시간을 보내곤 했다. 나이 차이는 있지만 나로서는 서울에 와서 가슴을 열어놓고 사귄 최초어가지도 않을 것이었다. 나이 차이는 있지만 나로서는 서울에 와서 가슴을 열어놓고 사귄 최초의 친구인 셈이었다. 그 만화계의 일인자였던 김성환씨는 서른 미만의 총각으로 집에서 독특한 유화를 그리고 수필을 쓰고 에드가 알란 포우류의 음산한 외국소설을 탐독하고 있었는데 내게는 그분과 문학얘기, 미술얘기 등을 하는 순간이 가장 살고 있는 느낌을 받는 시간이었다.

학교에서는, 강의시간에 별로 충실하지 못하고 친구들과도 깊이 어울리지 않고, 어쩌다가 문학 이야기 같은 게 나오면 가장 잘 아는 채 열을 올리는 나를 같은 과 친구들은 문제아 취급을 하기 시작하였다.

그러나 그 당시 내 입장에서 보자면 같은 과 친구들이란 게, 부모가 벌어주는 밥이나 얻어먹고 상식적인 소리나 하는 어린애들인 것이었다. 나중에 「산문시대(散文時代)」를 하면서 친해진 김현 김치수(金治洙) 등도 그때는, 그쪽에서는 나를 「아는 체하는 건방진 촌놈」 정도로 생각했고 내 쪽에서는 「사범대학에나 갈 녀석들이 무슨 불문학을 한다고」 하고 생각하며 같은 과라는 것 이상으로는 친하지 못하고 있었다.

독문과의 김광규(金光圭)、이청준(李淸俊) 등에게는 친밀감을 가지고는 있었으나 나의 어수선한 생활 때문에 그들과 깊이 어울릴 기회를 갖진 못하고 있었다. 이 무렵 가까이 지낸 친구는 독문과의 김주연(金柱演)이었다. 그는 한 달에 두 번 나오는 문리대 학생신문인 〈새세대〉 기자로 일하게 되었는데 그의 소개로 나는 〈새세대〉에 「학원만평」이니 컷 등의 그림을 그리게 되면서 자연히 그와 접촉이 잦았고 얼마 후에 내가 정식으로 〈새세대〉 기자가 되면서부터는 거의 매일 생활을 같이하게 되었다.

그런데 어느 날 김광규와 이청준이 키가 크고 안경을 쓴 영문과의 한 친구——얼굴은 알고 있지만 이름은 모르고 있는 친구 셋이서 나를 부르더니 동인회(同人會)를 구미자는 것이었다. 그 안경을 쓰고 키가 큰 친구가 바로 지금 소설가인 박태순(朴泰洵)이었다. 그래 무슨 동인회냐고 했더니 명칭 같은 건 없기로 하고 몇명이 가끔 모여서 자기가 써온 글을 읽고 서로 평해주는 모임을 갖기로 했는데 너도 끼여줄 테니 같이하자는 것이었다.

222

그리하여 주로 서대문에 있는 박태순의 집 문간방에서 모임을 가지곤 했는데 멤버는 이청준

과 나를 제외하고는 모두 김광규、박태순과 같은 서울고등학교 문예반 동창생인 진교준、한원

삼、김신일 등이었다。

모임을 가질 때는 의무적으로 글을 한 편씩을 써 가지고 오기로 돼 있었지만 그러나 그것이 제대
로 실현되지 못했다。김광규가 시를 몇 편 써왔고 박태순이와 한원삼이가 소설을 한 편씩 써왔던
결로 기억한다。정력적으로 시를 써오는 이는 진교준이었다。고등학교 재학시에 서울시내 각
고등학교 문예반 학생들 사이에서는 꽤 알려졌던 우수한 시를 쓴 친구였다。나와 이청준이는
항상 빈손이었다。나로서는 이 친구들과 사귀게 된 것이 기쁘고 잡담하는 것이 즐거울 뿐이었
다。시인이나 소설가가 되기 위해서 문학수업 할 생각은 조금도 없을 때였다。문학을 좋아하고
글 같은 걸 쓰기도 했지만 그건 어디까지나 취미였지 장차 문학을 하기 위해서가 아니었다。그

털다고 다른 목표가 있지도 않았다。아직 나는 내 미
래를 결정하지 못하고 있었다。그러나 지금 생각하면
그때의 이 모임이、이 교우(交友)가 문학을 시작하게
되는 첫걸음이었던 것 같다。

동인지를 갖지 않은 동인이란 으레 흐지부지되게 마
련이다。김광규、박태순、이청준 등과의 동인 모임도
비록 처음부터 동인인지 같은 건 갖지 않고 작품을 서로
돌려가며 읽고 토론하는 모임으로 뭉을 박고 시작한

것이지만 결국 서로 이해할 수 있는 친구를 새로 얻었다는 것 이상으로는 뭐 뚜렷한 성과도 흔

적도 남길 수 없었다. 잠깐 동인지를 만들자는 얘기도 나왔으나 동인지가 나오기 위해서는 무

엇보다도 강력한 발표욕과 돈과 동인들의 다소간의 자기 희생이 필요한 법인데 그 모두가 우리

에게는 없었다. 좀더 근원적으로는 활자화할 만한 작품을 써낼 능력이 아직 없었음을 스스로

잘 알고 있었다. 우리는 겨우 대학 1학년생들인 것이다. 중고등학교때 학교 교지나 학생 잡지

따위에 뭘 좀 끄적거렸다고 해서 그것이 일종의 국어 실력이지 문학은 아니라는 것쯤은 알만큼

영리했다고나 할까. 더구나 나 같은 경우는 솔직히 말해서 내 인생의 방향을 문학 쪽으로는 전

연 생각하지 않고 있었기 때문에 동인 같은 것에 열성을 낼 이유가 없었다. 불문학과를 지망한

것도 지금 생각하면 우스운 것이지만 영어, 독일어는 기왕 공부한 것이니 불어 좀 해볼까 하는

정도의 동기 때문이었다. 외국어만 마스터해 놓으면 어떤 방향의 공부든지 혼자서 다만 될 것

이고 그 공부에 의해서 내 장래는 결정될 것이라고 믿고 있었고, 그러나 그 장래가 다만 문학

은 아니라는 것밖에는 아직 결정짓지 못하고 있었다. 대학에 대한 기대조차 만족시켜 주지 않

는 대학이 나를 어떤 종류의 직업인이 되도록 훈련시켜 주리라곤 전연 생각하지 않았다. 대학

은 나의 왕성한 지식욕을 조금씩이나마 골고루 만족시켜 주면 그만이었고 그 점에서 나는 갖가

지 학과를 가진 문리과대학에 대단히 만족하고 있었다. 가령 시간적으로 구속을 받았던 1학년

교양과정이 끝나버리고 2학년이 되어 수강시간에 비교적 많은 자유를 갖게 되자 나는 전공과

목인 불문과 강의 시간에는 학점 취득에 꼭 필요한 만큼만 들어가고 나머지 선택과목이나 도강

을 철학, 정치학, 심리학, 사회학 등으로 호화찬란하게 꾸몄던 것이다. 그러면서도 항상 문학

만은 제의시켰다. 국문학이나 외국문학 강의실엔 거의 전연 들어가 보지 않았고, 대학을 마쳤다.
문학이란 당시 내 생각으로는, 특별히 대학에서까지 전문적으로 공부를 할 성질의 물건이 아니
었다.

사람이라면 누구나 자기 일생을 살아가면서 틈틈이 읽어 보기도 하고, 자기 경험을 털어놓고
써 보기도 하는 것으로 충분한 것이었다. 어차피 문학이 일생 동안 가지고 다닐 취미라면, 아까
운 대학시절에는 앞으로 읽고 싶거나 알고 싶을 때 큰 곤란당하지 않도록 갖가지 전문분야의 입
문지식이나 공부해 두는 게 옳다고 믿고 있었다. 나중에 〈한국일보〉 신춘문예에 독자투고하는
기분으로 써 보낸 소설이 당선되고 그래서 소설가가 되기로 작정했을 때도 대학공부에 대한 나의
그런 생각은 바뀌지 않았다. 오히려 소설을 쓰기 위해서는 더구나 전공과목 강의보다는 다른 학
문을 들어야 한다고 생각했다. 소설은 문학이 아니었다. 그리고 그것은 살아가면서 하나 둘씩
써어질 것이지 문학강의를 듣는다고 더 많이 더 잘
써어지리라고는 믿어지지 않았다.

그러나 어쨌든, 당시 그 모임 덕분에 갖게 된 김광
규, 박태순, 이청준 둘과의 우정은 나에게는 귀중한
것이었다. 동인모임 자체는 흐지부지돼 버리고 난 다
음에도 어쩌면 오늘날까지도 서로의 작품에 대하여 기
탄없는 의견을 교환하고 충고를 구하고 자칫하면 식어
버리기 쉬운 열의물 돋우어 주기 위해서 격려하는 그런

우정을 가질 수 있다는 것은 다른 분야에 비해 유난히 독선적이기 쉽고 아집에 사로잡힌 사람들로 들끓는 「문단」에서는 참으로 귀중한 것이라 생각하고 있다.

2학년이 되자 내 생활은 또 한번 바뀌었다. 그때까지 그리던 신문의 연재만화도 집어치우고 굵게 되면 굵고 먹게 되면 먹을 작정으로 공부 좀 해야겠다고 야전용 침대 하나와 자취도구 몇 가지를 사가지고 문리대 구내에 있는 새세대사 안으로 들어갔다.

문리대 학생신문인 「새세대」는 한 달에 두 번씩 나오는데 나는 처음엔 4면인 문예면을 맡다가 나중에 볼문과 1년 후배이며 지금은 시를 쓰고 있는 김화영(金華榮)이가 입사하자 그에게 문예면을 물려주고 3면인 논문면을 맡아서 일했다. 〈새세대〉는 유근일(柳根一)의 필화사건으로 폐간되었던 〈우리의 구상(構想)〉 후신으로 당시 4·19 이후에 활발해진 학생들의 자치정신과 참여의식의 소산으로서 교내뉴스는 1면으로 한정시켰고 나머지 3면은 교수와 학생들의 의욕적인 논문으로써 채우고 있었다. 비록 좁은 지면이지만 전교신문인 〈대학신문(大學新聞)〉보다 더욱 충실하고 개성있는 기관지를 만들겠다고 열을 내었으며 당시 문리대 학생들은 〈대학신문〉에 보다 〈새세대〉에 투고하기를 즐겼고 〈새세대〉를 중심으로 학생언론을 형성하려고 했다. 내가 졸업 후에 또 필화사건으로 폐간당하고 말았다는 소식을 들었을 때 나는 내 대학생활에서 빼놓고 생각할 수 없는 〈새세대〉시절의 추억 때문에 몹시 서운했다.

〈새세대〉에서 일한 덕택에 나는 많은 친구를 알게 되었고 동세대(同世代)의 의식구조에 대해서 좀더 가까이서 관찰할 수가 있었다. 또 재미난 것은, 새세대사 안에 야전침대를 들여놓고 자취를 하는 가난뱅이라는 이유 때문에 문리대 안의 「거지」들로부터 매우 우호적인 접근을 받

앉았고 심지어는 「거지 중의 거지」 대접을 받기도 했다는 것이다. 그 「거지」 친구들 중에서도 특히 가까이 지냈던 친구들은 지금 〈중앙일보〉 주불특파원으로 일하고 있는 주섭일(朱燮日 : 당시 佛文科), 지금 영화감독을 하고 있는 하길종(河吉鍾 : 당시 佛文科), 시인 김지하(당시 美學科), 지금 〈코리아타임스〉에서 일하고 있는 김송현(金松顯 : 당시 英文科) 등이었다. 우리 이 몇 친구들은 교정에서 얼굴이 마주치면 점심 먹었느냐는 게 인사였고 누군가가 굶었다고 하면 어디서 돈을 얻어서라도 밥을 서로 사먹이곤 하였다. 특히 김송현은 키가 1미터 정도의 특이한 신체를 가지고 있었기 때문에 대화가에서는 모르는 사람이 없어 주로 이 친구가 상점에서 영원한 외상으로 우리의 필수품을 조달하곤 했다.

심지어 내 런닝셔츠니 팬티까지도 이 친구는 외상으로 가져다 주는 것이었다. 김지하는 막걸리로 점심을 때우는 게 일쑤였고 주섭일은 헌구두니 헌책이니를 서울에서 가장 싸게 파는 곳을 알아가지고 와서 정보를 주는 게 「거지들」 사이에서의 그의 임무였다. 우리 이 「거지들」은 그러나 누구보다도 구김살이 없었고 의욕과 정열을 가지고 있었다. 문리대 분위기가 이런 유의 거지들에 의하여 주도되자 서울의 으리으리한 저택에서 살고 있으면서도 그런 내색을 하지 않고, 거지인 체하는 사이비 「거지들」도 나오는 진풍경이 벌어졌다. 이런 사이비들이야말로 아주 질이 나쁜 짓을 예사로 해넘기곤 했다.

文學에의 첫걸음

2학년 여름방학도 나는 새세대사를 지키며 보냈다. 교수의 사용 허락을 받고 방학 중에 비어 있는 교수연구실이나 과연구실에서 공부하는 학생들과 또 무더운 서울을 벗어나지 못하고 갈데가 없어 결국 학교의 녹음을 찾아오는 「거지」친구들과 어울려 잡담을 하거나 토론을 하는 것이 그 여름의 재미였다.

화제는 주로 지난 5월에 있었던 군사혁명과 앞으로 전개될 역사에 대한 것이었다. 밤이 되면 그때 갓 만들어놓은 박물관 옆의 분수못에서 발가벗고 목욕을 하곤 했다. 엄숙한 대학의 캠퍼스 안에서 비록 아무도 보지 않는 밤이지만 발가벗고 목욕을 한다는 것에는 파격적인 흥취가 있었다.

수위영감님도 모른 체 눈감아주었다. 방학 중에 학교 안에서 기거하며 공부하던 우리들은 그러나 그 이상의 행동은 할 줄 몰랐다.

질이 나쁜 것은 서울에 버젓한 집을 두고도 떼를 지어다니며, 또 평소에도 서울대학생이라는 것보다는 일류고출신이라는 것을 스스로 더 강조하고 학생회 같은 데서 기어코 감투를 하나 차지해야 직성이 풀리고 4·19를 머리에 내세운 전국대학생단체에 관계하며 오늘날에는 권력의 하수인이 되어 있거나 권력 주변에서 얼쩡거리고 있는 당시의 사이비 「거지」들이었다.

그 여름방학 중의 어느 날 밤엔 그 사이비들 중의 7명이 창녀 하나를 떼리고 와서 새세대사

228

안의 내 침대를 빼앗자는 것이었다.

결국 거부하지 못하고 말았지만 이때처럼 그 사이비놈들을 증오해 본 적이 없었다. 나중에 이

사실을 우리 진짜 거지패들에게 보고하였더니 모두들 「대학 안에서 그게 무슨 짓이냐」 「그런 놈

들이 학우나 교수들로 하여금 우리까지 나쁘게 보도록 만든다」고 격분하여 그놈들을 때려주자

고 결의하였으나 때리지는 않고 그들 중의 대표자격인 학생회 간부녀석을 운동장가로 불러다

놓고 면박을 주었다.

10월로 접어들자 밤이 되면 추워서 더 이상 새세대사 안에서 지낼 수가 없었다. 마침 학교

앞 연건동의 어느 집에 입주가정교사 자리가 있어서 기어들어갔다. 그 집에 있는 동안 나는 소

설이란 걸 처음으로 써보았다. 신춘문예 응모를 예정하긴 했지만 나로선 당락(當落)에 신경을

쓰지 않았다. 나에게는 지독히도 힘겨운 서울생활이 내 생명력의 스프링을 탄력의 한계점 이하

로 끌어당겨 버려서 허탈해지기 시작했기 때문에 나는 이번 학기만 마치면 군에 입대하기로 작

정하고 있었었다. 그렇게 작정하고 보니 뭔가 패배한 것 같고 밀려나는 것만 같아서 억울하고 분

하기도 하였다.

그 억울하고 분한 마음도 달랠 겸 일단 서울생활을 청산하는 기념품을 남기고 싶었는데 그것

을 나는 소설쓰는 일로 삼은 것이었다. 처음엔 내 서울생활의 레포트를 써보자고 시작하였는데

이렇게 써보나 저렇게 써보나 내 마지막의 비밀을 나한테 아무런 흥미도 갖지 않은 사람 앞에서

털어놓는 것은 주착없어 보이기만 하였다.

깨끗이 단념하고 「물건 하나 만든다는 기분으로」 한 편 써서 마감기일이 제일 늦은 한국일보사의

신춘문예 모집에 투고하고 학기말시험이 끝나자 짐보따리를 몽땅 싸들고 나는 순천(順天) 집으로 내려갔다. 그리고 소설의 당락보다는 군(軍)에서 자원입대를 받아줄 것인지 아닌지가 더 궁금하여 그것을 이리저리 알아보고 있었다.

왜냐하면 대학생에 한하여 복무기간 1년 반이라는 병역제도가 이번으로 마지막이라는 것이기 때문에 자원한다고 모두 들어갈 수 있는 것은 아니라는 소문이었기 때문이었다. 그런데 뜻밖에도 1월 1일자 신문을 보니 내 소설 「생명연습(生命演習)」이 당선되어 있었고 〈한국일보〉 순천지사에서 사람이 달려와 본사에서 당선 소감을 써보내란다는 것이었다. 몹시 기뻤다.

그리고 몹시 불안했다. 어쩐지 자꾸 피하고만 싶었던 문학이란 놈에게 덜미를 잡힌 것이었다. 어쩐지 운명을 만난 느낌이었고 그러기에 뿌리치고 싶으면서도, 막막했던 나의 미래가 그 안개를 살짝 열고 비교적 뚜렷이 보이는 길을 제시해 주는 것에는 어떤 안도감을 느끼지 않을 수 없었다. 불확실한 미래를 접쳐보는 것처럼 고통스러운 것은 없었다. 대학교 2학년 학생처럼 고통스런 존재도 드문 것이다.

소설당선상금을 받고 보니 입대할 생각은 싹 가셔버렸다. 상금의 일부로 등록금이 마련된 것이고 이제부터 서울생활은 소설을 써서 가능할 것이다. 그런 행복한 어리석은 꿈을 꾸며 나는 다시 신학기 등록을 했다.

등교를 한 첫날, 같은 과의 김현(本名 金光南)과 김치수가 나에게 신춘문예 당선을 축하한다고 하며 동인지를 같이해 보자는 것이었다. 그 자리에서 나는 김광남이가 김현이라는 필명으로 자유문학지의 신인문학상 평론부문에 당선되었음을 처음으로 알고 좀 뜻밖의 느낌을 받았다.

김치수가 문학동인지 하자는 제의를 하는 것도 좀 뜻밖이었다. 평소에 이 두 친구는 문학 같은 건 난 모른다는 표정으로 불어공부에만 열심히 매달린 교수지망생이었기 때문에 나는 그들과 털어놓고 문학 얘기 같은 것을 할 기회가 변변히 없었고 또 부끄럽게도 그들을 내심 깔보고 있었기 때문이다.

비로소 나는 내 주변에 소리없이 문학공부를 하고 있는 친구들이 많다는 사실을 깨달았다. 하기야 그 친구들 입장에서 보면 내가 소설 같은 걸 쓰리라고는 생각지도 못했을 터였다. 나중에 김현의 얘기를 들으니 방학중에 목포(木浦)에 있는 자기 집에서 내가 소설 당선한 것을 보고 몹시 흥분되더라는 것이다. 이해할 수 있는 일이었다.

무관심하게 보아 넘기던 친구가 어느 날 뜻밖의 일을 했을 때 우리는 자기 자신을 되돌아보게 되는 경우가 있는 것이다. 그래서 김현은 평론가로서의 등장을, 그 시일을 앞당겨 버렸다는 것이다. 나는 그런 고백을 할 수 있는 그의 인간성이 좋아졌다. 겉으로는 감추고 있던 내 속의 자만심이 부끄러웠다.

그렇잖아도 막상 소설이 당선되고 이제부터 좋은 소설을 써야겠다고 생각하고 보니 씌어지는 소설이 그 쓰는 사람에게 요구하는 그 어마어마하게 크고 헤아릴 수 없이 자질구레한 것들이 정면으로 나를 압도해 와서 아연해지기 시작하고, 거기에 불문과 교수님들로부터 어느 선배의 예를 들어가면서 「겸손한 태도로 우선 학교공부에 열심하라」는 충고를 듣고 나 있던 중에 뜻밖의 친구들이 나타나서 우선 동인지를 하면서 습작시기를 가져보자는 것이었다.

《散文時代》創刊

김현과 김치수와 나는 동인지 발간준비에 열중하기 시작했다. 동인지의 성격, 동인의 수와 성분, 동인지 체재와 인쇄 문제 등을 두고 꽤 오랫동안 의견을 교환했다.

우선 동인의 선정문제에 있어서 이견이 생겼다. 나는 그전에 가졌던 동인들 김광규, 박태순, 이청준 등과 또 《새세대》를 하면서 그 능력들을 알게 된 문리대 안의 친구들 염무웅(廉武雄), 김화영, 조동일(趙東一), 주섭일 등을 동인으로 하자는 데 대해서 김현과 김치수는 그렇게 잔뜩 벌여놓으면 결국 아무것도 되고 만다, 하고 반대했다. 우선 일을 성공시키는 것이 중요하니 적극적으로 일을 추진할 수 있는 몇몇 사람으로 시작하기로 결정했다. 그렇다고 우리 세 사람만으로써는 아무래도 싱거운 짓 같았는데 그때 김현이 최하림(崔夏林)을 소개하는 것이었다. 김현이 방학 중에 고향인 목포에 갔다가 알게 된 친구인데 금년(1962년) 〈조선일보〉 신춘문예에 시가 당선되었고, 김현의 생각으로써는 「최하림이야말로 예술가」라는 것이었다.

방학 동안 내처 그 친구와 만나서 문학 얘기를 하며 지냈는데 시뿐만 아니라 희곡도 쓰며 그의 예술적인 재능에 대해서는 자기가 존경해 마지않는다는 것이었다.

그리하여 김현의 연락으로 최하림은 목포에서 상경하여 동인지 발간준비에 참여하게 되었다. 아닌게아니라 생김새부터가 천성의 시인 같았다. 몹시 가난하여 영양실조로 몸무게가 48킬로그람에 미달하여 군에서도 입대를 거부했다는, 그렇게 약한 몸으로도 문학에 대한 신념이나 정열

232

은 무서울 만큼 대단해서 가령 나의 문학에 대한 약간 냉소적인 자세 같은 것을 전연 용서하지 않는 그런 친구였다.

이리하여 동인지에 관한 몇 가지가 결정되었다.

동인지에 실린 작품은 시를 제외한 소설, 희곡, 평론 등의 산문으로만 하기로 하였다. 시를 제외한 이유는 이 동인지에 특색을 주기 위해서였다.

종래의 동인지들이 대개 시동인지들이었고 당시 「60년대의 사화집(詞華集)」이라는 기성시인들에 의한 시동인지가 착실하고 충실하게 나오고 있음을 상당히 의식한 결정이었다. 시를 제외하기로 결정하면서 불란서의 싸르트르가 발간하는 〈현대(現代)〉지 얘기도 나왔으나 싸르트르가 주장하듯 시는 문학일 수 없다는 그런 문학관에 의하여 우리 동인지에서도 시를 제외하기로 한 것은 아니었다. 오히려 최하림이나 김현은 이 동인지를 통하여 시정신(詩精神)에 의한 산문을 써보려고 하였다. 그것이 비록 과거에 소설이라고 부르는 것과 같다 하더라도 동인지라는 실험실에서는 한번 시도해 볼만한 한국어작업으로 생각하였다. 이 「시정신에 의한 산문」이라는 주제는 계속해서 「산문시대(散文時代)」의 주제역할을 하게 된다.

동인명은 처음에 「질주(疾走)」라고 하자는 의견이 있었으나 그건 너무 문학소년 냄새가 난다고 하여 내가 내세운 「산문시대(散文時代)」로 결정하였다.

작품들은 가능한 대로 소설을 두 편씩 쓰기로 하였다. 소설이 안 되는 경우엔 평론이나 희곡을 쓰기로 하였다.

인쇄는 프린트로 하기로 하였다. 우리 처지에서 활판인쇄란 엄두도 못낼 걸로 아예 단념하고 마침 김치수의 하숙집 주인따님이 한글 타자를 칠 줄 아니까 그 여자에게 부탁하여 원지에 타자하여 프린트를 하기로 결정했다. 그런 결정들을 하고 이제 서로 약속한 마감날까지 작품을 세 벌 일만 남았는데 다시 목포로 내려가 있던 최하림에게서 활판인쇄의 가능성에 대한 연락이 왔다.

값이 쌀 뿐만 아니라 활자모양도 깨끗하고 예쁜 델 찾았더니 드디어 전주에 그런 인쇄소가 한 군데 있어서 찾아갔더니 뜻밖에도 그 전주의 가림인쇄소(嘉林印刷所) 사장이란 분이 종이값만 부담한다면 조판비, 인쇄비, 제본비 등 인쇄소에서 할 수 있는 일은 공짜로 해주겠다고 한다고 연락해 온 것이다. 우리는 귀를 의심할 만큼 기뻤다. 의젓하게 활자로 인쇄된 동인지를 낼 수만 있다면 얼마나 좋겠는가! 최하림의 편지가 사실이라면 종이값 정도야 자기 아버지를 졸라서라도 타내겠다고 김현은 장담했다.

사실 〈산문시대〉가 제법 책꼴을 하고 발간될 수 있었고 계속해서 순조롭게 진행될 수 있었던 것은 거의 전적으로 이 가림인쇄소 김종배(金鍾培) 사장님과 김현의 부친의 은혜에 의존하였던 것이었다. 김사장님은 돈 한푼 받지 않고 인쇄를 맡아주셨고 김현의 부친은 적지않은 금액인 종이값과 우리가 동인 인쇄를 위해서 전주에 체류하는 동안의 숙식비 등의 비용을 대준 것이다. 이 두 분의 도움이 없었더라면 〈산문시대〉 역시 다른 동인지들과 마찬가지로 등사판인쇄의 초라한 동인지 모습에 스스로 질려서 1호를 내놓고는 2호에서는 문 닫아버리는 꼴이 되었을 게 틀림없다.

나중에 만나게 되는 김종배 사장이란 분은 당시 연세가 40대 중반인 키가 자그마하고 강건하

게 생긴 분으로 어렸을 때부터 갖은 고생을 다하며 자수성가한 사람으로써 비록 뚜렷한 공부를
하지는 않았지만 의협심이 강하고 이상이 높았다. 인쇄소를 하게 된 것도 결코 장삿속으로써가
아니라 진실로 지역문화를 발전시키겠다는 그의 이상에 의한 것이었다. 최하림이 방문하여 「대
학생 몇 명이 이러이러한 목적으로 문학동인지를 발간하고 싶어서」 운운하니 선뜻 「내가 당신들
을 기르겠다」고 나선 것이었다.

최하림이 이 기쁜 소식을 가지고 상경하여 우리는 작품탈고에 박차를 가하게 되었는데 문제
가 생겼다. 김치수가 자기는 동인 안하겠다는 것이다. 그가 그만두겠다고 내세우는 이유는 『활
판인쇄 같은 허황한 꿈을 꾸는 길 보나마나 일은 다 틀린 것이다. 현실적으로 가능한 등사
판 인쇄나 착실히 해나갈 생각은 안하고 괜히 허영에 들떠서 그러지들 말라』는 것이었다. 여태
까지 동인인지 발간 일을 가장 강력하게 끌어온 그가 「어디 그런 꿈 같은 일이 성사될 성싶으냐」
는 태도로 발뺌을 해버리니 나머지 사람들은 어이가 없기도 하고 약이 오르기도 했다. 특히 김
현은 『그래 두고 보자, 너한테 보이기 위해서라도 버젓이 활판인쇄로 책을 만들어내고 말 테니』
했다.

그리하여 김현과 최하림과 나 셋이서 창간호를 만들게 되었다.

同人募集

〈산문시대〉 1호에 실릴 원고들이 모아졌다. 김현의 소설 두 편, 최하림의 소설 한 편과 희곡

한편, 내 소설 두 편이었다. 김현의 소설 「잃어버린 처용(處容)」은 마치 자동기술에 의한 듯, 현재형의 단문인 숨가쁘게 헐떡이는 문체의 좀 파격적인 작품이었다.

스토리를 통해서 일정한 주제를 제시하려 하지 않고, 의식이 포착한 것만을 집요하게 묘사함으로써 초리있는 스토리일 수 없는 생의 내면을 보여주려는 듯한 작품이었다. 그 이후의 〈산문시대〉에서도, 그리고 오늘날에도 문학평론 등의 에세이만 쓰는 김현이 만일 앞으로도 소설이란 것을 쓰지 않는다면 이 두 편의 소설이 처음이고 마지막이 될 것이다. 그 자신은 그 두 작품에 대하여 그후 매우 부끄러워하였으나 가령 그가 부끄러워해도 좋을 만큼 그 두 작품이 졸렬한 것이었다 하더라도 그가 써온 우수한 문학평론들보다는 훨씬 더 그의 살아 있는 뜨거운 숨결을 느끼게 해주는 작품들이었다.

최하림의 소설 「여름시집(詩集)」과 희곡 「성(城)」도 대단히 이색적인 작품들이었다. 하나 하나는 날카로우면서도 전체적으로는 풍부한 이미지들의 배열을 따라가다 보면 하나의 스토리 끝에 도착해 있는 것을 발견하게 되는 작품들이었다. 한국어가 가진 가능성의 거의 완전한 미개발지대를 열어 보이는 것이어서 오늘날 시만 쓰는 그가 〈산문시대〉에 쓴 몇몇의 소설로써 소설쓰기를 끝내버리지 않고 계속해서 그 작업을 다듬어나갔더라면 퍽 유니크한 소설가가 되었을 것이다. 나는 〈한국일보〉 신춘문예 당선작인 「생명연습(生命演習)」과 「건(乾)」등 단편 두 편을 실었다. 김현이나 최하림의 것에 비해 내 작품들이 가장 비실험적인 진부한 소설양식에 충실한 것이었다.

원고들이 모아지자 우리는 그때 도미중(渡美中)이어서 비어 있던 고석구(高錫龜)교수 정이 제일 재미있는 것이다. 우리는 그때 편집에 착수했다. 책을 만들어 본 사람이라면 잘 알겠지만 이 과연구실을 빌어서 밤을 새우며 판형은 무얼로 할 것이냐, 표지는, 종조냐 횡조냐 등을 결정했다.

판형은 국판형으로서 오늘날엔 많이 보급되어 있는 크라운판으로 하기로 하고 표지화로는 뽈 끌

레의 그림을 흑백으로 사용하기로 하고 가로쓰기를 하기로 하고 파격적인 멋을 부리는 김에 불란서

책들처럼 읽는 사람이 칼로 일일이 잘라서 볼 수 있게 제본하기로 하였다. 문학지의 가로쓰기는

우리나라에서는 우리가 처음이라고 자부하였는데 나중에 소설가 황순원(黃順元)씨가 1930년

대 〈단층(斷層)〉인가 하는 문학동인지가 최초라 해 둘째가 되고 말았지만 불편한 불란서식 제본은

틀림없이 최초일 것이다. 또 우리는 제1호를 이상(李箱)에게 바치기로 하였다. 언어실험실

서의 〈산문시대〉 창간호는 한국어를 보석처럼 갈아낸 이상에게 마땅히 바쳐야 했다. 부수는 3백

부 한정판으로 하여 권마다 번호를 매기기로 하였다 (2호부터는 5백부 한정판으로 하였다).

그리하여 최하림이 원고를 싸들고 인쇄하기 위해서 전주로 내려갔다. 학생이 아니었던 그가

시간에 자유로와 왔던 것이다. 그리고 6월 하순경 어느 날, 그가 인쇄된 동인지 꾸러미를 들고 오

는 날 김현과 나는 새벽 5시 반에 기차로 도착하는 그를 마중하러 서울역으로 나갔다. 새벽의

서울역 대합실에서 우리들은 인쇄만 마치고 아직 제본은 되지 않은 채인 동인지 꾸러미를 둘러

싸고 서서 기쁘고 기뻐서 펄펄 뛰다시피 했다.

짐 꾸러미를 새세대사 안으로 옮기고 우리는 손수 제본을 했다. 접어서 구멍을 뚫고 철사

를 꿰고 풀칠해서 표지를 붙이는 것이었다. 새세대사의 친구들이 자기 일처럼 도와주었다.

책의 대부분은 증정되었고 백여 부 정도를 몇 군데 대학앞 서점들에 나누어 맡기고 팔아달라고

하였는데 나중에 가보면 책이 다 팔리고 한 권도 없는데도 서점 주인은 얼마 안되는 책값을 오

늘 내일, 미루기만 하여 수금은 거의 한푼도 없었다. 그래도 우리의 책이 얼마나마 팔렸다는 사실만으로도 즐거웠다.

1호가 뜻대로 나오자 우리는 그것을 키워갈 꿈으로 부풀었다. 우선 〈산문시대〉의 성격을 어떻게 키워나가야 할 것인가에 대해서 두 가지 의견이 있었다. 하나는 순수하게 몇 사람만의 등인지로서 끌어나가는 것이고 또 하나는 대학생문단지로서 그러나 완전히 개방적이지 고 재능있는 친구들을 선택하여 작품을 받아 싣는 것으로 하자는 것이었다.

우리는 일단 후자로 결정을 내렸다. 그래서 서울대학교 안에서뿐만 아니라 다른 대학에서도 동인이 될 만한 친구를 찾아나섰는데 여기서 뜻밖의 일에 부딪쳤다. 그전에 함께 동인을 했던 김광규, 박태순에게 〈산문시대〉를 함께 하기를 권했더니 「나도 신춘문예든 어디든 당선된 뒤에 들어가겠다」는 것이었다. 김현, 최하림, 나 세 사람이 이른바 문단에 데뷔했다는 사실에 패나 신경이 쓰이는 모양이었다. 나로서는 진심으로 존경하는 친구들이 그런 이유로 거절하는 것이 몹시 서운했다. 그러나 문학이란, 자기 이름을 앞세우고 혼자서 하는 것이다. 권하는 우리 자신이야 아무리 그렇게 생각하지 말라고 해도 권유받은 그들 입장에서 보면 출발부터 어떤 패거리의 일원으로서 한다는 것은 자존심을 해치는 것일 수도 있다고 이해되어 더 권할 수가 없었다. 함께 하자고 권하고 싶었던 이청준과 김화영은 군에 입대하고 없었다. 김창응(金昌雄)만이 허심탄회하게 함께 일하기를 승낙했다. 그는 경기고, 문예반장을 했고 〈새세대〉 편집장을 했는데 시, 소설에 모두 능했다.

한편으로 다른 대학에서도 동인을 물색했는데 〈한국일보〉에 「잃은 자와 찾은 자」로 강편모집에 당선한 김용성(金容誠)이가 경희대학교 학생이라는 것을 알고 그를 만나서 동인이 되기를 권하였다. 그런데 김용성이는 시시한 문학청년들의 패거리에 자기가 얻은 명성을 이용당하고 싶지 않다는 듯한 표정으로 우리의 제의를 거부해 버렸다. 서라벌예술대 쪽의 몇몇 재능있는 친구들을 만나 봤더니 정직하게 말해서、별무의식(別無意識)의 문학 견습공(見習工)들이었다。이쪽에서 함께 하자고 권하고 싶지가 않았다。

同人을 찾아서

동인을 늘이기 위해서 몇몇 사람을 접촉해 본 결과 실망한 우리는 앞으로 「산문시대」의 동인을 서울대학교 학생 중에서만 고르기로 하였다. 우리가 대학을 마칠 때까지 정선된 동인이 10여 명으로 늘 수만 있다면 「산문시대」의 평판은 저절로 확립될 것이다. 일단 자리만 잡으면 재능있는 후배들이 제 발로 가담해 오리라고 우리는 기대하며 당분간은 소수정예로써 〈산문시대〉 발간일자를 따로 정하지는 않았으나 1년에 최소한 3번 즉 4개월에 한번쯤은 책이 나올 수 있도록 계획을 짰다. 그러나 결과적으로 이 계획은 실천되지 못하고 1년에 두 번, 즉 한 학기에 한 권씩밖에 발간할 수 없었는데 학생 신분으로서는 이 회수가 가장 무리없을 것 같다. 아니 만일 동인 숫자가 많을 경우엔 1년에 네 번 발간도 가능할 것이다. 작품을 번갈아 맡아서 한다면말이다. 아무리 습작이라고 하지만 일단 활자화하여 남에게 읽힐 것 작도 번갈아 맡아서을 생각하면 작품준비 기간도 꽤 걸린다. 또 제작도 인쇄소에 매달려야 하는 등 적잖은 시간과 손실을 요구하기 때문에 자칫하면 학교 공부하는 시간보다 동인지 만드는 시간이 더 많아질 염려가 있는 것이다.

어쨌든 우리는 2학기가 시작되자 〈산문시대〉 2호를 발간할 준비를 했다. 동인은 세 사람이 더 늘었다. 즉 강호무(姜好武), 김창웅, 김치수가 새로 들어온 것이다. 김치수는 앞에서 얘기했듯이 동인지의 가장 적극적인 창간 멤버였으나 활판인쇄가 불가능하리라 지레짐작하고 탈퇴해 버렸는데 김현, 최하림과 나 세 사람만으로도 책이 제법 화려하게 나온 걸 보고 퍽 부끄러워하며 2호부터는 다시 참가하기로 하였다. 그는 2호에 이오네스코의 희곡「대머리 여가수」를 번역하였다. 강호무는 당시 서라벌예대 재학 중이었기 때문에 서울대학생만으로 동인을 구성한다는 원칙에 어긋났으나 그는 나와 고등학교 동창으로 그의 재능을 잘 알고 있는 나로서는 꼭 동인으로 맞이하고 싶었던 것이다. 그 역시 최하림과 마찬가지로 시를 쓰려고 하고 있었는데 아닌게아니라 산문보다는 시에 더 재능이 있어서 나중에 발간한 그의 시집《관목(棺木)》과 〈산문시대〉 등에 발표한 소설은 문단에서도 호평을 받았으나 그가 까닭없이 난해한 점 때문에 그것을 대하는 사람으로하여금 화가 나게 하곤 했다. 동인 구하는 얘기가 나온 김에 마지막 호가 된 5호까지 동인이 된 사람들을 만난 얘기를 하기로 하자. 3호에서는 김성일(金成一)과 염무웅 등이 되었다. 염무웅은 공부벌레타입의 근엄한 학생이었는데 나는 〈새세대〉에 발표한 그의 시가 뜻밖에도 좋아서 동인이 되기를 권하였다. 그도 처음엔 박태순과 같은 이유로(新春文藝 같은 데 당선한 뒤에) 망설이는 눈치였으나 〈산문시대〉를 통하여 문학 평론 습작 시절을 갖겠다고 작정하고 동

인으로 들어왔다. 그는 독일의 시론, 음악론, 미술론 등에서 현대 예술이 성립한 과정을 찾아보

려는 「현대성논고(現代性論攷)」를 〈산문시대〉에 연재하였다. 〈경향신문〉 신춘문예에 평론이 당

선되어 정식으로(?) 문학평론가가 되는 것은 나중의 일이다.

오늘날 염무웅은 백낙청(白樂晴)씨와 함께 계간지 〈창작과 비평〉을 끌고 나가고 있다. 김현,

김치수는 역시 계간지 〈문학과 지성〉을 끌고 나가고 있다. 한국문단의 중요한 두 계간지 편집

진이 〈산문시대〉의 동인이었다는 것은 「산문시대」의 자랑일 수 있을 것이다.

김성일을 동인으로 맞이하기 위해 김현과 함께 주소만 들고 그의 집을 찾아나선 것은 3호를

준비하고 있던 62년 겨울의 첫눈이 내리는 날이었다.

우리는 그를 아직 한번도 만난 적이 없었다. 우리가 알고 있는 것은 〈현대문학(現代文學)〉지

에 김동리(金東里)씨의 추천을 받은 그의 소설 「흑색 시말서(黑色始末書)」가 대단히 새롭고 좋

은 작품이라는 것과 그가 공대기계과 학생이라는 것뿐이었다.

서울대학생 중에서만 동인을 구한다는 원칙에 충실하기 위해서 우리는 〈현대문학〉사에서 알

아낸 주소만 가지고 그를 만나러 간 것이다. 보문동 어느 작은 한옥이 그의 집이었다. 다소의

서먹서먹한 대접을 각오했었는데 그는 어제 만난 친구처럼 반가와했다.

셋이 들어앉으면 꽉 차버리는 그의 작은 방에는 공대생인데도 온통 문학서적으로만 가득했고

기타가 덩그러니 세워져 있었다. 그는 기타를 잘 쳤고 간단한 작곡 솜씨도 있었다. 그날 이후

로 김성일의 방이 우리 동인들의 아지트가 되다시피했다. 좁은 방에 빽빽이 들어앉아서 술을

배우고 노래를 부르곤 했다.

거기서 김현이 작사하고 김성일이 작곡한 「산문시대 노래」란 걸 부르곤 했는데 그 노래는 제

법이어서 요즘도 술집 같은 데서 어울리면 곧잘 그 노래를 부른다. 김성일의 집을 아지트로 삼

고 지내던 그 무렵이 가장 문학청년적인 기분으로 지내던 때였다.

5호에서 동인으로 맞이한 서정인(徐廷仁)은 나의 고등학교 5년 선배였다. 5년이나 차이가

있기 때문에 피차 전연 알지 못하는 사이였는데 63년 가을에 〈사상계(思想界)〉지의 제1회 신

인문학상 모집에 소설 「후송(後送)」이 당선되어 그 지면에서 그의 약력을 보고 그가 나의 고등

학교 선배란 사실도 문리대 영문과 재학 중에 군에 다녀오느라고 지금 우리와 같은 캠퍼스에서

공부하고 있다는 사실도 알고 그를 동인으로 끌어들이기 위하여 찾아갔다. 5년이나 선배가 되

기 때문에 나로서는 가뜩이나 대하기 어려운 심정인데 이 양반이 워낙 말이 없고 타인과 어울

리기를 좋아하지 않는 성미이기 때문에 함께 동인 하자는 말이 얼른 나오지 않았다. 겨우 입을

열어 함께 동인 하자는데 반응이 별로 좋지 않았다. 애들 장난 같은 동인지에 끼여들기가 싫다

는 듯한 표정이었다.

그를 동인으로 맞이하기 위하여 나와 김현은 그의 하숙방을 뻔질나게 찾아다녔고 결국 승낙

을 받았다. 그는 5호에 「말·말·말」이라는 외국 단편을 번역하였다.

좋은 동인을 구하는 일은 생각보다는 힘든 일이다. 그러나 얻고 나던 그처럼 든든한 것도 없

다. 비록 개성이 다르고 작품세계가 다르더라도 문학에 대한 이해가 비슷한 사람끼리 모일 수

있다면 삶이 유쾌한 것이다.

〈산문시대〉가 조금씩 조금씩 자리를 잡아가고 있는 한편에서 〈산문시대〉에 자극을 받고 하나

의 동인지가 탄생했다. 조동일, 임중빈, 주섭일, 이광훈(李光勳) 등에 의한 〈비평작업(批評作業)〉이 그것이다. 〈산문시대〉를 순수로 규정지으며 문학의 「현실참여」를 주장하여 비평동인지를 만든 것이다. 2호까지 나오고 말았지만 대학생들에 의한 문학동인활동으로서는 〈산문시대〉와 함께 뜻깊은 활동이었다.

後　記

　수필집(隨筆集)이라는 걸 처음 낸다. 워낙 자신의 일에 충실치 못한 물러빠진 성미라 써서 발표한 자신의 글 한 조각 제대로 스크랩해 놓은 것이 없었다. 어느 지면(誌面)에 무슨 글을 썼던지 이젠 기억조차 못하는데, 지식산업사(知識産業社)에서 일하고 계시는 동인(同人) 최하림(崔夏林)형이 어느 틈에 내 글을 시시콜콜 모두 모아놓고 책으로 묶어 보자신다. 그 뜨거운 우정에 나는 눈물이 날 만큼 고마왔다.

　그러나 수필집을 출판한다는 건 나로서는 무척 망설여지는 일이었다. 자신의 솔직한 육성(肉聲)을 담아야 하는 수필을 쓰기란 소설가로서는 어쩐지 낭비인 듯하여 평소에 나는 가령 잡지사 같은 데서 수필을 써달라는 하명(下命)을 받고도 대체로 거절하곤 해왔다. 여기 모아놓은 수필들도 거의 모두 하명하신 분과의 거절할 수 없는 인간관계 때문에 마지못해 털어놓곤 한 글들로서 무엇보다도 우선 그 분량이 과연 책 한권으로 묶어질 수 있을까 하는 의문 때문에 출판을 망설였던 것이다. 망설였던 또 하나의 큰 이유는 기왕 수필집을 낼 바엔 좀더 하고 싶은 말을 충분히 써보고 싶다는 욕망 때문이었다. 여기 모은 글들에 거짓이 있다는 게 아니라 남들의 강요에 질질 끌려 써낸 글이 아닌 스스로 쓰고 싶어 쓴 글들을 첨가하여 나의 진실을 좀더 완벽하게 하고 싶다는 욕망말이다. 하지만 첫술에 배부르랴! 이 책을 계기로 앞으 로는 남의 요구에서가 아닌 스스로 우러나 쓰는 수필도 좀 열심히 써봐야겠다고 생 각한다.

1977 · 12

金承鈺

뜬 세상에 살기에　　　　　　값 1,100원

1977年 12月 10日　初版發行

作 者　金　　承　　鈺
發行者　金　　京　　熙

發行所　知　識　産　業　社
서울特別市鍾路區貫鐵洞 18의 8
登錄 (가) 1—171호 1969. 5. 8

電話 ⑦④ 1978・9868　中央私書函 6130

국립중앙도서관 출판예정도서목록(CIP)

똥·세상에 살기에 / 지은이: 김승옥. ― 복간본(초판). ― 고양 : 위즈
덤하우스, 2017

　p. ;　cm

ISBN 978-89-5913-088-7 04810 : ₩1100
ISBN 978-89-5913-087-0 (세트) 04810

한국 현대 수필[韓國現代隨筆]
산문집[散文集]

814.62-KDC6
895.744-DDC23   CIP2016029851

뜬 세상에 살기에

the First Edition in 1977 reissued in 2017

초판 1쇄 인쇄 2017년 1월 25일
초판 1쇄 발행 2017년 2월 1일

지은이 김승옥
펴낸이 연준혁

출판 1분사 편집장 한수미
책임편집 정지연
디자인 형태와내용사이

펴낸곳 (주)위즈덤하우스 출판등록 2000년 5월 23일 제13-1071호
주소 경기도 고양시 일산동구 정발산로 43-20 센트럴프라자 6층
전화 031)936-4000 팩스 031)903-3893 홈페이지 www.wisdomhouse.co.kr

값 1,100원
ISBN 978-89-5913-088-7 04810
978-89-5913-087-0(세트)